齊白石全集

第五卷：繪畫

齊白石

凡例

一　《齊白石全集》分雕刻、繪畫、篆刻、書法、詩文五部分,共十卷。

二　本卷為盛期繪畫。收入三十年代晚期至一九四四年繪畫作品三二二件,作品按年代順序排列。

三　本卷内容分為二部分:一圖版,二著録、注釋。

目録

目録

繪畫(三十年代晚期——九四四年)

著録・注釋

CONTENTS

CONTENTS

PAINTINGS (Late 1930s – 1944)

BIBLIOGRAPHY, AND ANNOTATIONS

繪畫

一　雙壽圖　約三十年代晚期　縱九九・五厘米　橫三四厘米

二　秋荷　約三十年代晚期　縱一三五厘米　橫二六厘米

三　荷花雙鳧　約三十年代晚期　縱一三五厘米　橫三三厘米

四

菊花螃蟹　約三十年代晚期　縱一〇四厘米　橫五二厘米

五 絲瓜 約三十年代晚期 縱一〇一厘米 橫三〇厘米

六　藤蘿　約三十年代晚期　縱七五厘米　橫二九·七厘米

七 藤蘿 約三十年代晚期 縱一〇〇·二厘米 橫三三·三厘米

八

桃兔圖

約三十年代晚期　縱一〇三・八厘米　橫三四・五厘米

九　雛鷄出籠　約三十年代晚期　縱六七厘米　横三二厘米

一〇 棕樹麻雀

約三十年代晚期 縱一三九厘米 橫一九·五厘米

一一　玉蘭小雞　約三十年代晚期　縱一三五·七厘米　橫三六·八厘米

一二　藤蘿　約三十年代晚期　縱二六厘米　橫一八〇厘米

一三　羅浮仙蝶　約三十年代晚期　縱三三·五厘米　橫二六·三厘米

一四　紅花草蟲　約三十年代晚期　縱二七·二厘米　橫三四·一厘米

一五　豆莢草蟲圖　約三十年代晚期　縱九七厘米　橫三二厘米

一六　芙蓉　約三十年代晚期　縱七一厘米　橫二七厘米

一七

稻穗蚱蜢

約三十年代晚期　縱八〇厘米　横二五厘米

一八 蘆花青蛙 約三十年代晚期 縱八〇厘米 橫三〇厘米

一九 菊酒延年 約三十年代晚期 縱八一厘米 橫二九厘米

二一〇　松鶴圖　約三十年代晚期　縱一三六厘米　横三四厘米

二一　櫻桃（花果册之一）約三十年代晚期　縱二六厘米　橫一九厘米

二二　桃（花果册之二）約三十年代晚期　縱二六厘米　橫一九厘米

二三　豆莢（花果册之三）　約三十年代晚期　縱二六厘米　橫一九厘米

二四　老少年（花果册之四）　約三十年代晚期　縱二六厘米　横一九厘米

二五　白菜雛鷄　約三十年代晚期　縱九九·四厘米　横三二·五厘米

白菜雛鷄（局部）

二六

紅梅雙鵲

約三十年代晚期 縱一〇一・一厘米 橫三二・四厘米

二一七　雙桃　約三十年代晚期　縱一〇〇厘米　橫三三厘米

二八　牡丹（花卉草蟲册之一）　約三十年代晚期　縱三三·七厘米　横二九·七厘米

二九　雙壽（花卉草蟲册之二）約三十年代晚期　縱三三·八厘米　橫二九·五厘米

三〇　梅花（花卉草蟲册之三）約三十年代晚期　縱三三·六厘米　横二九·五厘米

三一　荔枝（花卉草蟲册之四）約三十年代晚期　縱三三·七厘米　橫二九·七厘米

三二　藤蘿（花卉草蟲册之五）約三十年代晚期　縱三三·七厘米　橫二九·七厘米

三三　青蛙（花卉草蟲册之六）　約三十年代晚期　縱三三·六厘米　横二九·五厘米

三四　群蟹　約三十年代晚期　縱一三五厘米　橫三五厘米

三五 鮎魚 約三十年代晚期 縱一三七·四厘米 橫三二·九厘米

三六　螃蟹　約三十年代晚期　縱八二·五厘米　橫四〇厘米

螃蟹 （局部）

三七　螳螂紅花　約三十年代晚期　縱四〇厘米　橫二五厘米

三八　雉鷄蝴蝶　約三十年代晚期　縱六〇厘米　横三二厘米

三九　八哥紅梅　約三十年代晚期　縱二九·四厘米　横三七·八厘米

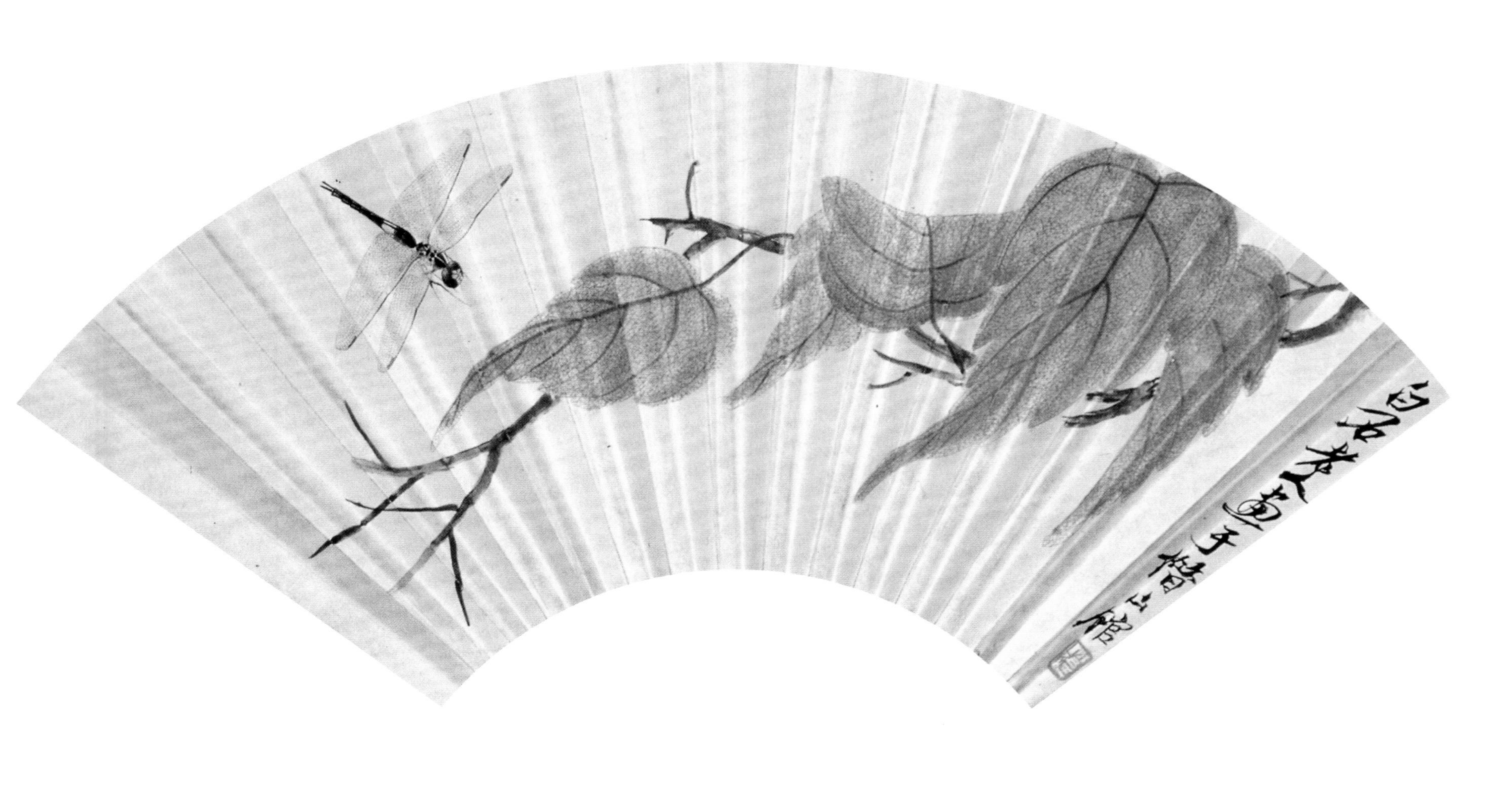

四〇　貝葉蜻蜓（扇面）約三十年代晚期　縱一九厘米　橫三六·五厘米

四一　葡萄

約三十年代晚期　縱八六厘米　橫三六厘米

四二　青菜八哥　約三十年代晚期　縱五六厘米　橫三二·五厘米

四三　**蘭花蜂蝶**　約三十年代晚期　縱三〇厘米　橫二〇厘米

四四　蝴蝶蘭蟋蟀　約三十年代晚期　直徑二〇厘米

四五　荷花草蟲（扇面）約三十年代晚期　縱一八厘米　橫五〇·四厘米

四六　黑山羊　約三十年代晚期　縱八一・五厘米　橫三八厘米

四七　依様無羞　約三十年代晚期　縱一〇二厘米　橫三四厘米

四八　荷花　約三十年代晚期　縱九八厘米　橫三四厘米

四九 臘梅圖

約三十年代晚期 縱一三七厘米 橫三四厘米

五〇　秋色有香　約三十年代晚期　縱六八・八厘米　橫三四・三厘米

五一

棕樹小鷄　約三十年代晚期　縱八一厘米　橫二八厘米

五二　雁來紅　約三十年代晚期　縱一三五厘米　橫三六厘米

五三　殘荷圖　約三十年代晚期　縱二五〇厘米　橫六四厘米

五四　群魚圖　約三十年代晚期

五五　鷄冠花　約三十年代晚期　縱一三三厘米　横三三厘米

五六　葡萄　約三十年代晚期　縱一三三厘米　橫三五厘米

五七　荷塘雙鴨　約三十年代晚期　縱一一八厘米　橫三三·五厘米

五八　蓮花蜻蜓（扇面）約三十年代晚期　縱一八厘米　橫五〇·二厘米

五九

枯樹歸鴉圖

約三十年代晚期　縱一〇二·七厘米　橫三四·一厘米

六〇　枯樹歸鴉圖　約三十年代晚期　縱七〇厘米　橫三四厘米

六一　玉蘭花瓶　約三十年代晚期　縱一一七厘米　橫三九厘米

六二　牽牛花　約三十年代晚期　縱一〇八厘米　橫三四厘米

六二　多子多子

約三十年代晚期　縱一〇二厘米　橫三四·五厘米

六四　蘆塘蛙戲

約三十年代晚期　縱一〇五·五厘米　橫四〇厘米

六五　桂花蜻蜓　約三十年代晚期　縱二六·六厘米　橫四一·一厘米

六六　枇杷　約三十年代晚期　縱一三三厘米　橫三一·五厘米

六七　藤蘿蜜蜂　約三十年代晚期　縱一三二厘米　橫三七厘米

寄萍堂上老人齊璜

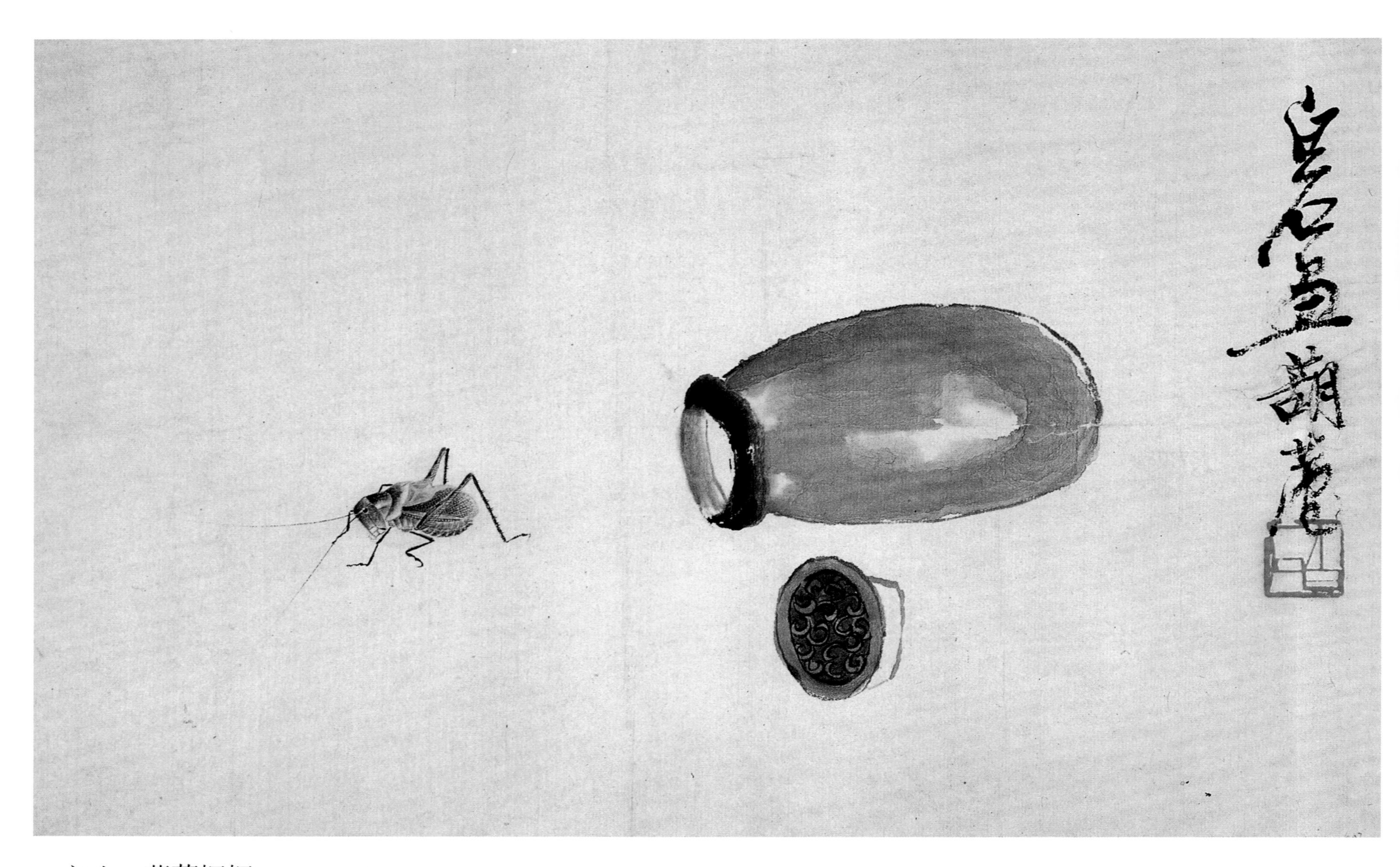

六八　葫蘆蟈蟈　約三十年代晚期　縱二四·六厘米　橫四〇·一厘米

六九　桃花喜鵲　一九四〇年　縱一〇四厘米　横三四厘米

七〇 桂花蜜蜂 一九四〇年 縱一〇二·五厘米 横三三·九厘米

七一　壽桃　一九四〇年　縱九五厘米　橫三二厘米

七二　秋聲圖

一九四〇年　縱一〇二厘米　橫三四厘米

七三　紫藤　一九四〇年　縱一二一・四厘米　橫五七・八厘米

七四　蘆塘鴨戲圖　一九四〇年　縱九九·五厘米　橫三三·五厘米

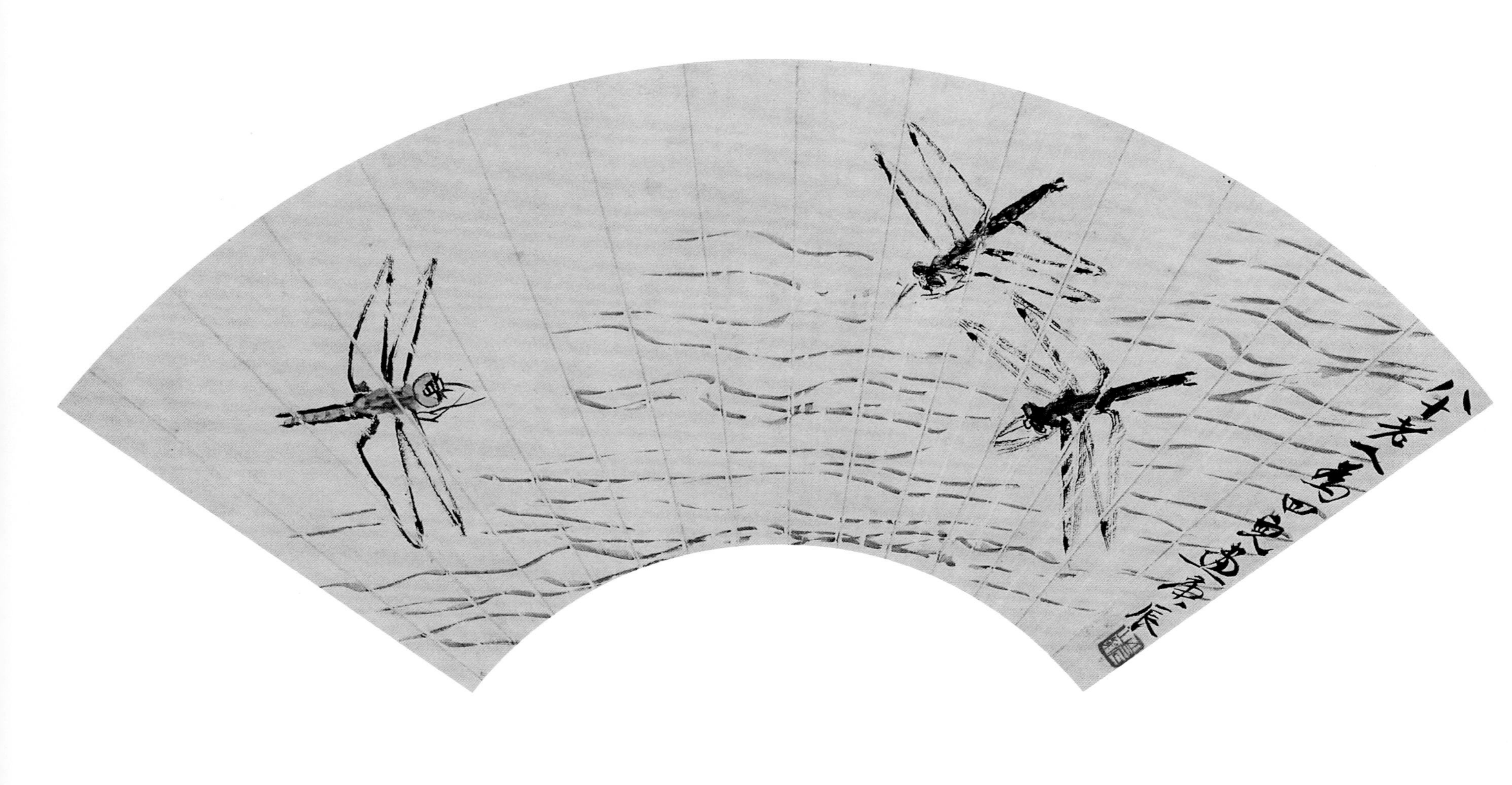

七五　蜻蜓戲水（扇面）一九四〇年　縱一八厘米　橫五〇厘米

七六　雛鷄戲蟲（扇面）一九四〇年　縱一七·五厘米　横五三厘米

七七

荷塘清趣圖

一九四〇年　縱一三四厘米　橫三四厘米

七八　菜根清香　一九四〇年　縱七一厘米　橫三三厘米

七九　秋色秋聲　一九四〇年　縱一一六・八厘米　橫四一・六厘米

八〇　荔枝圖　一九四〇年　縱一三五厘米　橫三四厘米

八一　茶花（扇面）一九四〇年　縱一七厘米　橫五〇·五厘米

八二　櫻桃·枇杷·荔枝

一九四〇年　縱一〇〇厘米　橫三六厘米

八三　仙桃延壽　一九四〇年　縱一五〇厘米　橫六六厘米

八四　雙蟹　一九四〇年　縱五七・五厘米　横二三・八厘米

八五　蘆花青蛙

一九四〇年　縱一七六厘米　橫四三厘米

八六　靈芝（扇面）一九四〇年　縱二〇厘米　横五四厘米

八七　暮鴉圖　一九四〇年　縱一四六厘米　橫三五厘米

八八　雁來紅與蜻蜓　一九四〇年　縱六八厘米　橫三四厘米

八九　蓮蓬藕（扇面）一九四〇年　縱一六厘米　橫二八·五厘米

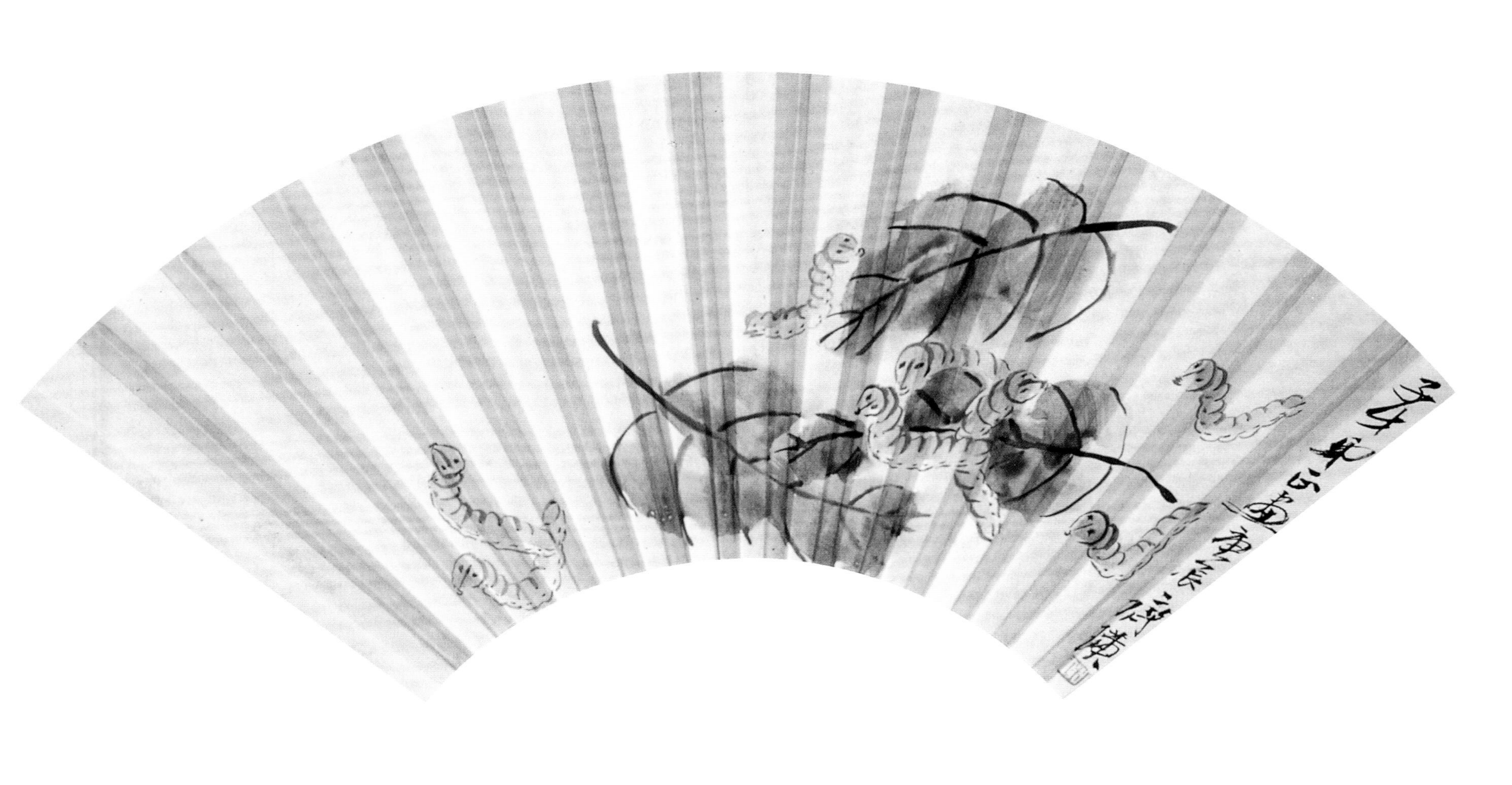

九〇　春蠶桑葉（扇面）一九四〇年　縱二〇厘米　橫三〇·六厘米

九一 白猴獻壽 一九四〇年 縱一〇四厘米 橫三五厘米

九二　達摩（扇面）一九四〇年　縱一八厘米　橫五四厘米

九三　天真圖　一九四〇年　縱一三〇厘米　橫三七厘米

九四　捧書少女　一九四一年　縱三四·八厘米　橫三四厘米

九五　仕女　一九四一年　縱九四厘米　橫三三厘米

九六　挖耳圖　一九四一年　縱一五四厘米　橫五二厘米

九七　三壽圖　一九四一年　縱一〇一・四厘米　橫三四・二厘米

九八　四喜圖　一九四一年　縱一六八厘米　橫四二·八厘米

九九　貝葉草蟲　一九四一年　縱一〇六・八厘米　横三四・四厘米

一〇〇　鳳仙花蜻蜓　一九四一年　縱九八·七厘米　橫三四·一厘米

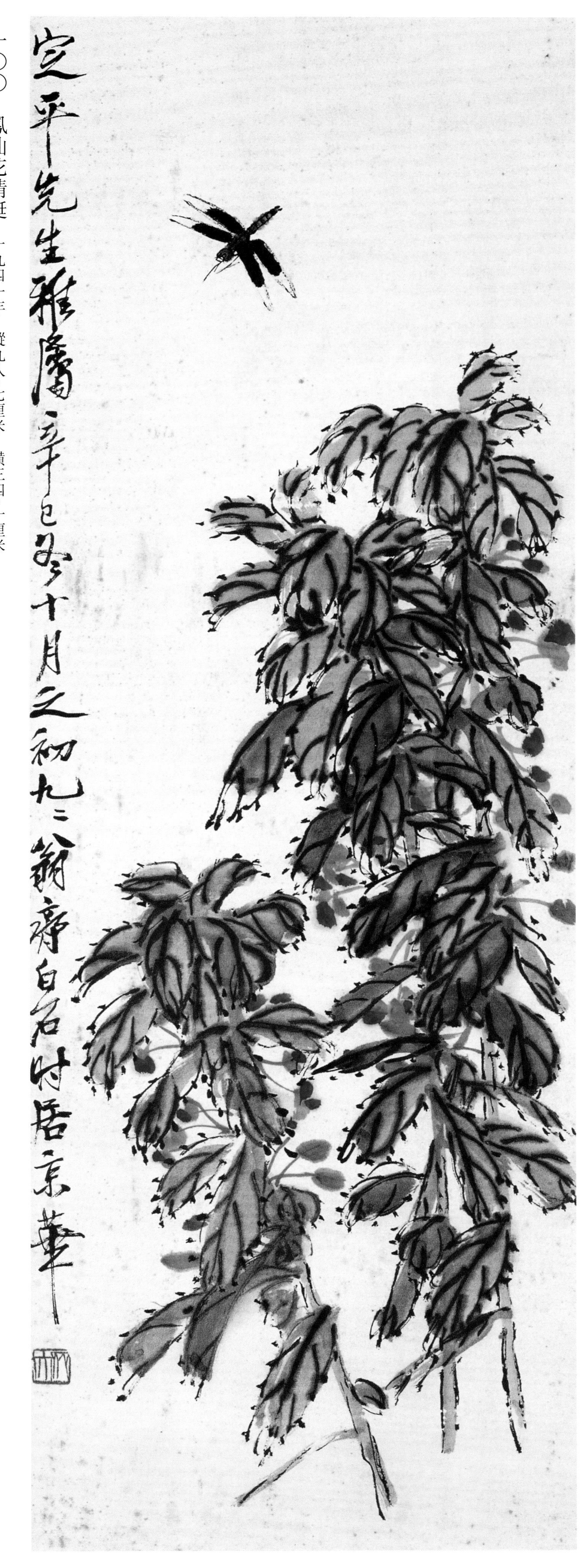

一〇一 鷹 一九四一年 縱一三九厘米 橫五九厘米

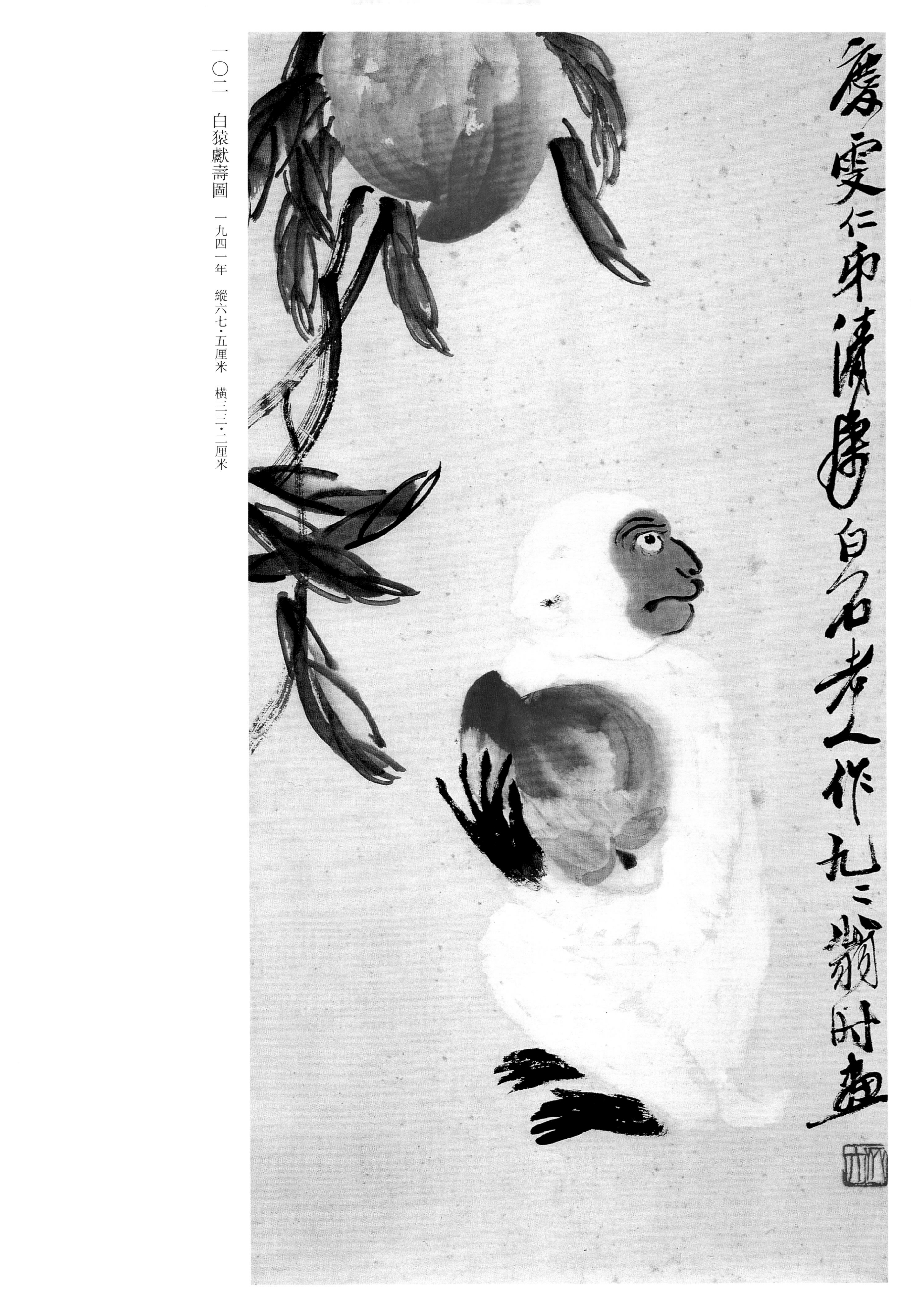

一〇二　白猿獻壽圖　一九四一年　縱六七・五厘米　橫三三・二厘米

一〇三　梨花海棠圖（扇面）一九四一年

一〇四　蝦蟹　一九四一年　縱六〇厘米　橫三六厘米

一〇五 行到幾時休 一九四一年 縱九九・五厘米 橫三四厘米

一〇六　簍蟹圖　一九四一年　縱一六八厘米　橫四三厘米

一〇七　荔枝蜜蜂（扇面）一九四一年　縱一八厘米　横五一厘米

一〇八　蘭花（扇面）一九四一年　縱一八厘米　橫四九厘米

一〇九 枇杷圖 一九四一年 縱九九·三厘米 橫三三·二厘米

枇杷圖（局部）

一一〇　野草蚱蜢（草蟲花卉册之一）一九四一年　縱三二·六厘米　橫二五厘米

一一一　穀穗蚱蜢（草蟲花卉册之二）一九四一年　縱三二·六厘米　横二五厘米

一一二　雜草土狗（草蟲花卉册之三）　一九四一年　縱三二·六厘米　横二五厘米

一一三　茅草蜂窩（草蟲花卉册之四）一九四一年　縱三二·六厘米　横二五厘米

一一四　雁來紅螳螂（草蟲花卉册之五）一九四一年　縱三二·六厘米　横二五厘米

一一五　油燈飛蛾（草蟲花卉册之六）一九四一年　縱三二·六厘米　橫二五厘米

一一六　海棠草蜢（草蟲花卉册之七）一九四一年　縱三二·六厘米　横二五厘米

一一七　水草游蝦（草蟲花卉册之八）一九四一年　縱三二·六厘米　橫二五厘米

一一八　玉蘭蜜蜂（草蟲花卉册之九）一九四一年　縱三二·六厘米　橫二五厘米

一一九　海棠蝴蝶（草蟲花卉册之十）　一九四一年　縱三二·六厘米　橫二五厘米

一二〇　葡萄老鼠　一九四一年　縱六七厘米　橫三三·五厘米

一二一　蝦　一九四一年　縱一〇一·五厘米　橫三四·五厘米

一二二 九秋圖 一九四一年 縱一三〇厘米 横六〇厘米

一二三　歲朝圖　一九四一年　縱九九厘米　橫三三·五厘米

一二四　紅蓼螻蛄（草蟲花卉册之一）一九四一年　縱二九厘米　橫二二·五厘米

一二五　荔枝蟲蛾（草蟲花卉册之二）一九四一年　縱二九厘米　横二二·五厘米

一二六　黄花蟈蟈（草蟲花卉册之三）一九四一年　縱二九厘米　横二二·五厘米

一二七　老少年蝴蝶（草蟲花卉册之四）一九四一年　縱二九厘米　横二二·五厘米

一二八　穀穗螞蚱（草蟲花卉册之五）一九四一年　縱二九厘米　橫二二·五厘米

一二九　鹹蛋蟑螂（草蟲花卉册之六）一九四一年　縱二九厘米　橫二二·五厘米

一三〇　**花卉蜻蜓**（草蟲花卉册之七）　一九四一年　縱二九厘米　横二二·五厘米

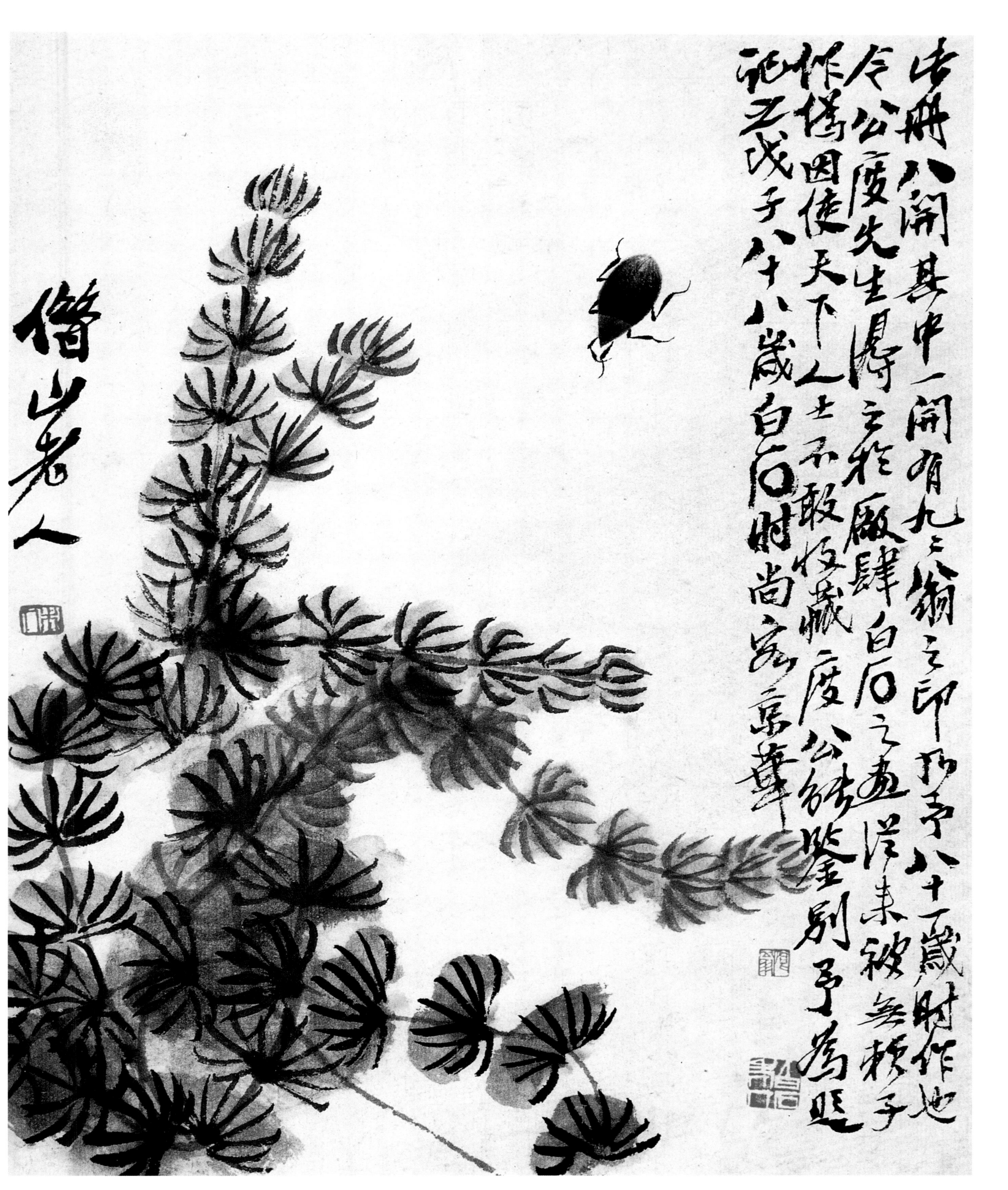

一三一　水草昆蟲（草蟲花卉册之八）　一九四一年　縱二九厘米　橫二二·五厘米

一三二　白菜蘿蔔小鷄　一九四一年　縱五六厘米　橫四二厘米

一三三　玉簪花　一九四一年　縱一〇一厘米　橫三四厘米

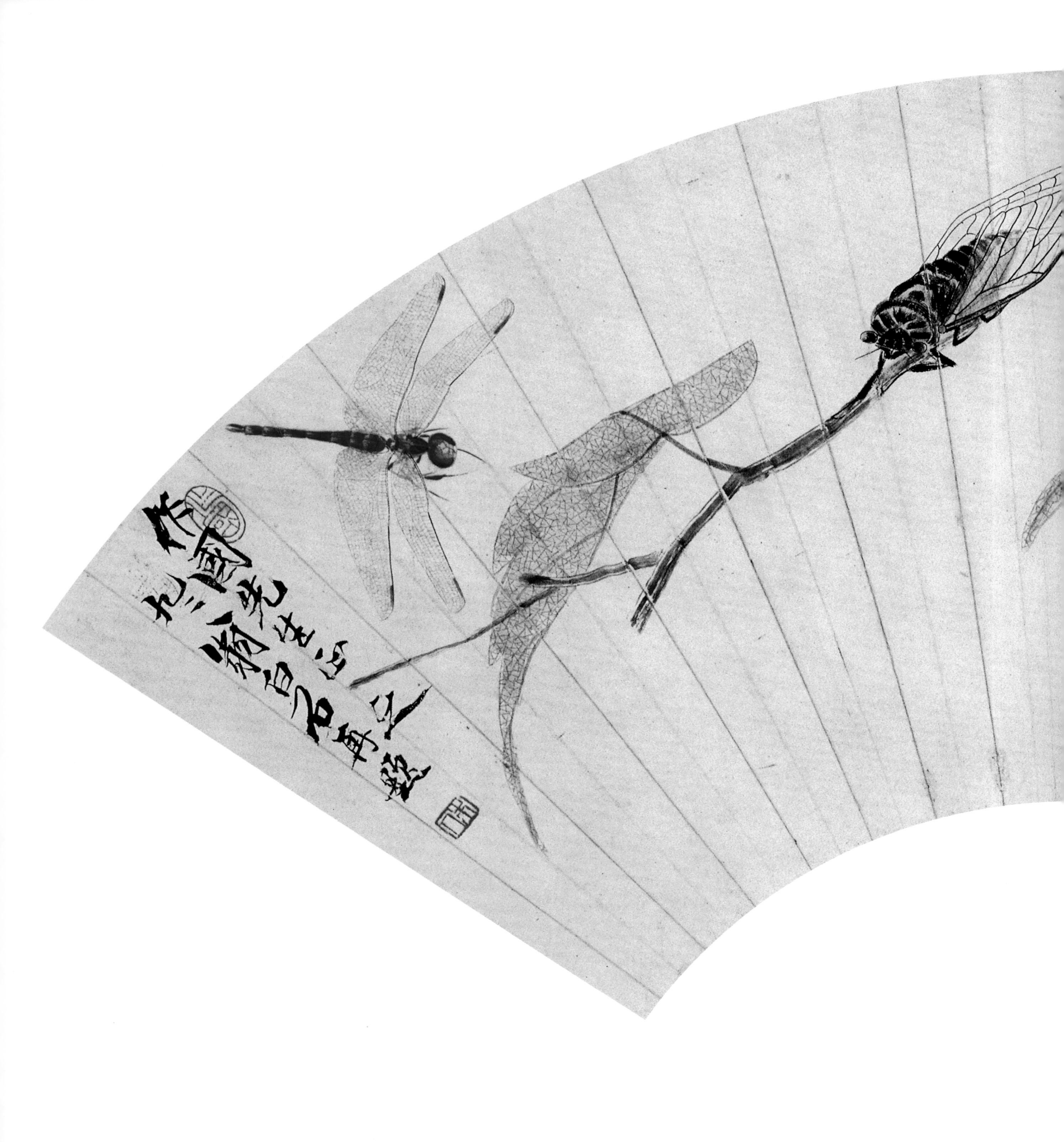

一三四　貝葉草蟲（扇面）　一九四一年　縱一八厘米　橫五二厘米

一三五　菊花蟋蟀　一九四二年　縱二一六・五厘米　橫五六・五厘米

一三六　長年長壽圖　一九四二年　縱九七·五厘米　橫四〇·五厘米

一三七 貝葉草蟲 一九四二年 縱一一〇厘米 橫五〇・五厘米

一三八　枇杷　一九四二年　縱九八・二厘米　橫三二・八厘米

一三九　杯蘭圖　一九四二年　縱二八・五厘米　横一七厘米

一四〇　可惜無聲（花草工蟲册）一九四二年　縱三一·五厘米　橫二五·五厘米

一四一　梅花蝴蝶（花草工蟲册之一）一九四二年　縱三一·五厘米　横二五·五厘米

一四二　**黄花蚱蜢**（花草工蟲册之二）　一九四二年　縱三一·五厘米　橫二五·五厘米

一四三　蘭草蚱蜢（花草工蟲册之三）一九四二年　縱三一·五厘米　横二五·五厘米

一四四　楓葉螳螂（花草工蟲册之四）　一九四二年　縱三一·五厘米　横二五·五厘米

一四五　稻穗螞蚱（花草工蟲册之五）一九四二年　縱三一·五 厘米　橫二五·五厘米

一四六　貝葉蝗蟲（花草工蟲册之六）　一九四二年　縱三一·五厘米　橫二五·五厘米

一四七　雁來紅蝴蝶　(花草工蟲册之七)　一九四二年　縱三一·五厘米　橫二五·五厘米

一四八　玉蘭蜜蜂（花草工蟲册之八）一九四二年　縱三一·五厘米　橫二五·五厘米

一四九　蘿蔔昆蟲（花草工蟲册之九）　一九四二年　縱三一·五厘米　橫二五·五厘米

一五〇　牽牛花蝴蝶　（花草工蟲册之十）　一九四二年　縱三一·五厘米　橫二五·五厘米

一五一　蝴蝶蘭飛蛾（花草工蟲册之十一）一九四二年　縱三一·五厘米　横二五·五厘米

一五二　荷花蜻蜓（花草工蟲册之十二）一九四二年　縱三一·五厘米　橫二五·五厘米

一五三　延年益壽　一九四二年　縱九九厘米　橫五〇・五厘米

一五四　紫藤蜜蜂　一九四二年　縱一三二厘米　横三二·五厘米

省三先生雅屬　壬午　秋白石齊璜

一五五　藤蘿

一九四二年　縱一一〇厘米　橫三八厘米

一五六　補裂圖　一九四二年　縱六八厘米　橫四〇厘米

一五七　仕女　一九四三年　縱二八厘米　横一五厘米

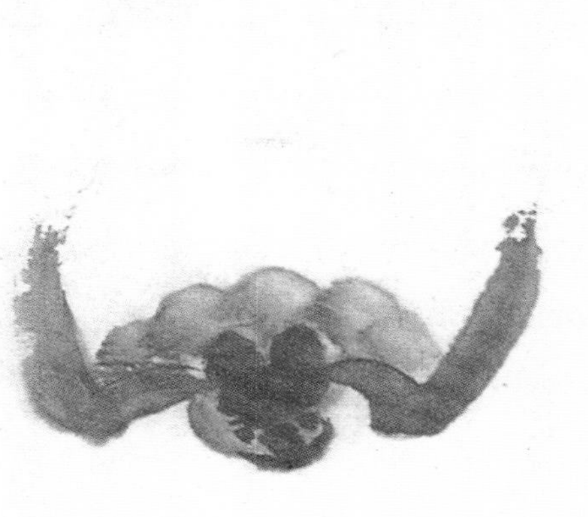

一五八　大福　一九四三年　縱六七·五厘米　橫三三·五厘米

一五九　菊酒圖　一九四三年　縱一〇二厘米　橫三四厘米

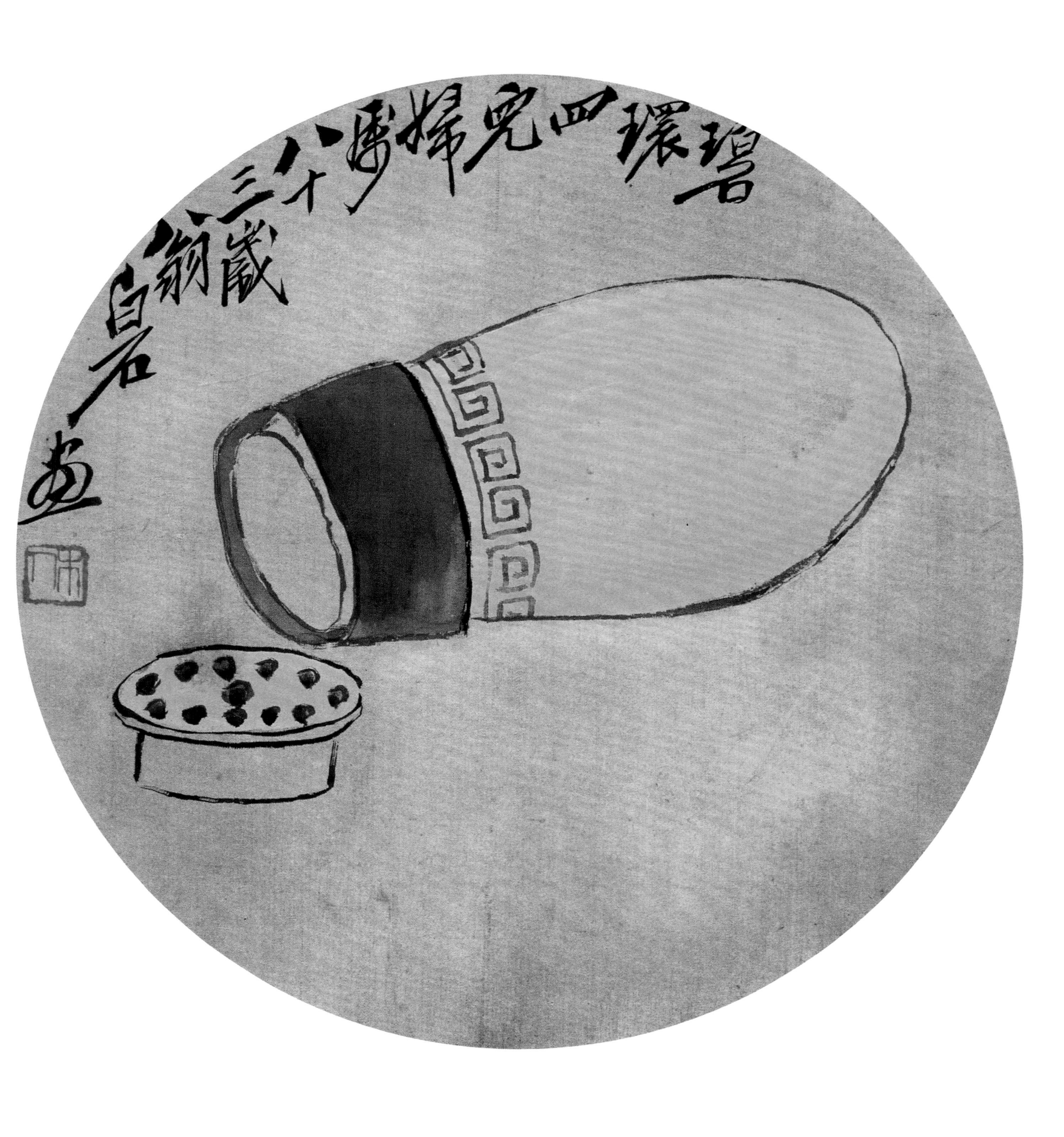

一六〇　蟈蟈已去葫蘆空　一九四三年　直徑二四厘米

一六一

桃·藕·葡萄 一九四三年 縱一〇二厘米 橫三四厘米

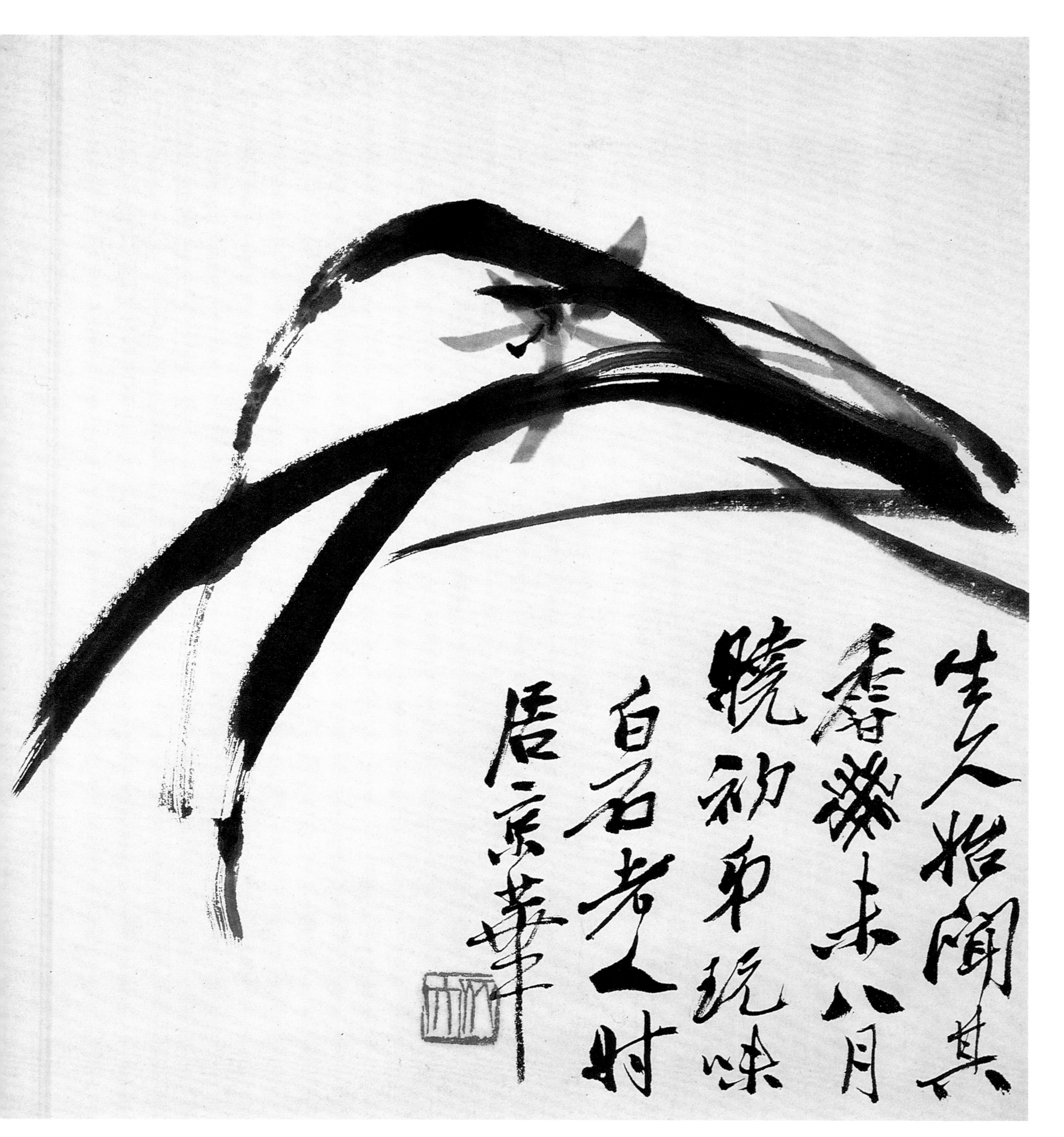

一六二　蘭花　一九四三年　縱三三厘米　橫三五·五厘米

一六三　眉壽堅固　一九四三年　縱一〇〇厘米　横三三厘米

一六四 魚蝦 一九四三年 縱一〇二·五厘米 橫三三·五厘米

一六五 蜻蜓戲水圖

一九四三年 縱一〇七厘米 橫四〇·五厘米

一六六　玉蘭　一九四三年　縱一〇〇厘米　橫三三·五厘米

一六七　眼看五世圖（扇面）一九四三年　縱一八厘米　橫四九厘米

一六八　枇杷（扇面）一九四三年　縱二〇厘米　橫五六厘米

一六九 放舟圖 一九四三年 縱一〇七厘米 橫四三·五厘米

一七〇　架豆　約四十年代初期　縱六八厘米　橫三四厘米

一七一 無量壽佛 約四十年代初期 縱一三六厘米 橫三四厘米

一七二　玉蘭　約四十年代初期　縱一〇〇・五厘米　横三四厘米

一七三　九秋圖　約四十年代初期　縱九一厘米　橫二四〇厘米

一七四　紅梅　約四十年代初期　縱二四厘米　橫一五厘米

一七五　雙鵝　約四十年代初期　縱二六厘米　橫一五厘米

一七六　絲瓜　約四十年代初期　縱二四厘米　橫三四厘米

一七七　翠柳鳴蟬　約四十年代初期　縱三六·五厘米　横二六·五厘米

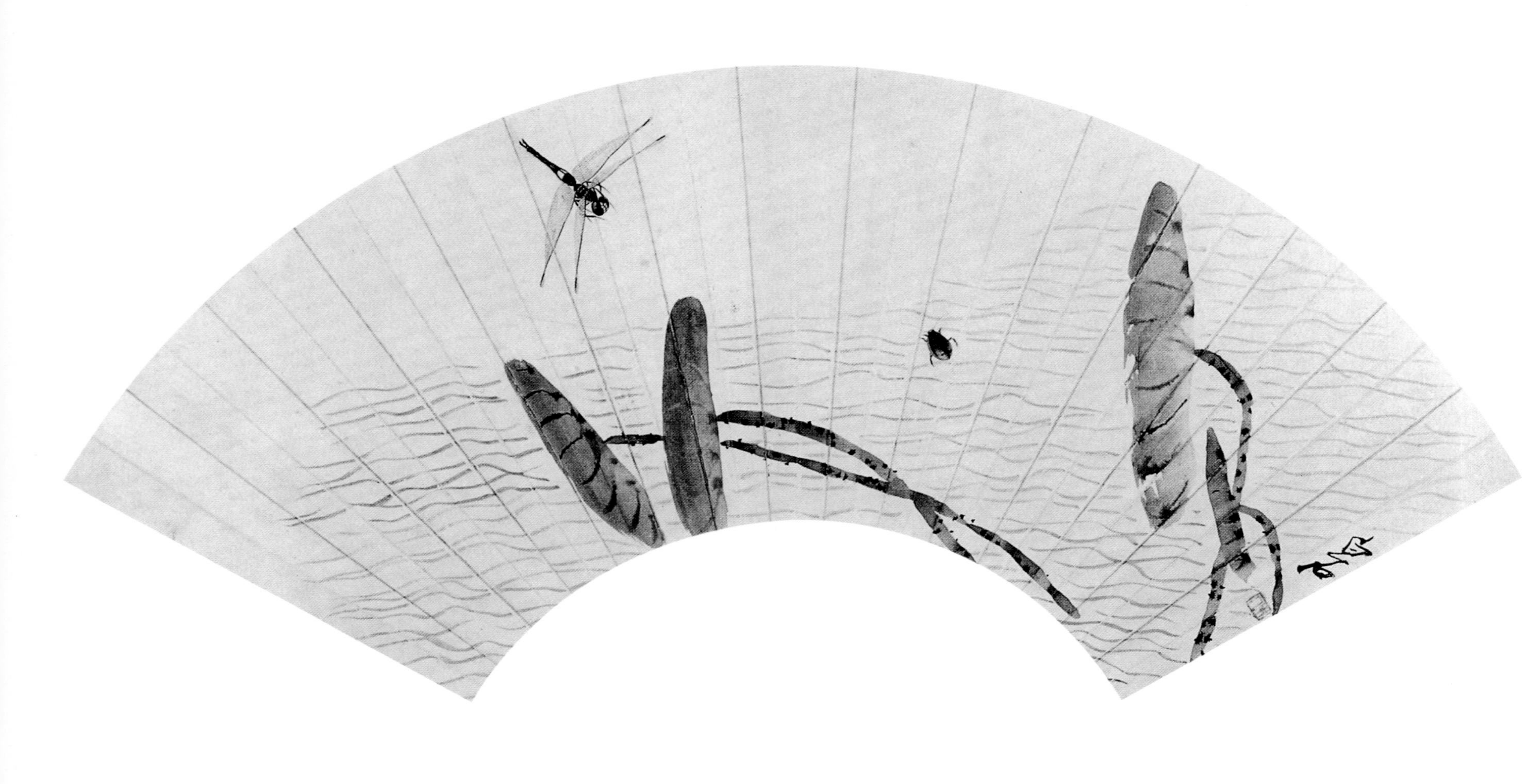

一七八　荷葉蜻蜓（扇面）約四十年代初期　縱一八厘米　橫五五厘米

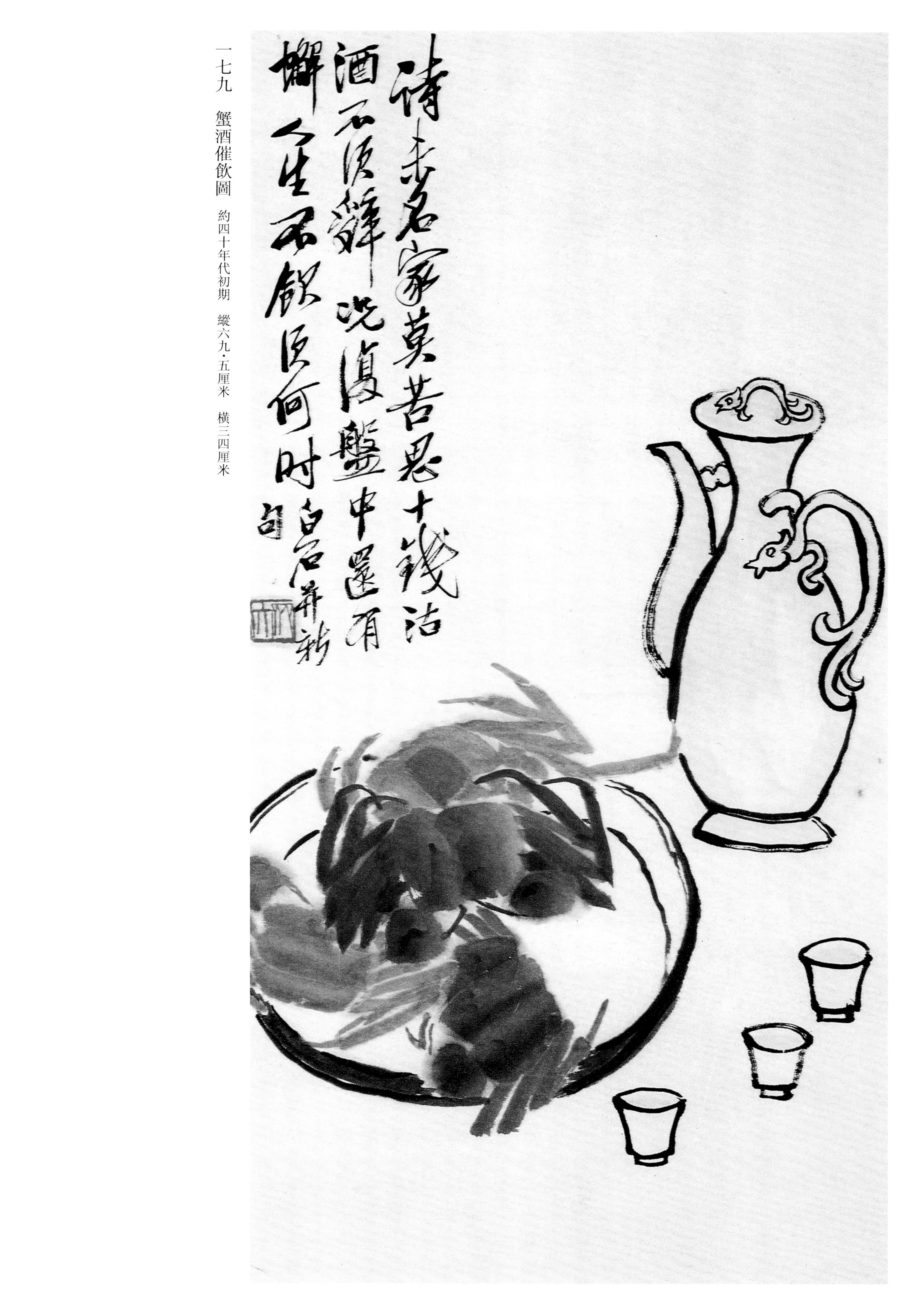

一七九　蟹酒催飲圖　約四十年代初期　縱六九·五厘米　橫三四厘米

一八〇　枇杷　（花果册之一）　約四十年代初期　縱三四厘米　橫三八·五厘米

一八一　荔枝（花果册之二）　約四十年代初期　縱三四厘米　横三八·五厘米

一八二　荔枝蜜蜂 （花果草蟲册之一） 約四十年代初期　縱三五厘米　橫三四厘米

一八三　葡萄螳螂（花果草蟲册之二）　約四十年代初期　縱三五厘米　橫三四厘米

一八四　蝴蝶蘭雙蝶（扇面）約四十年代初期　縱二〇厘米　橫五三·六厘米

一八五　貝葉鳴蟬（扇面）約四十年代初期　縱二六厘米　橫五五·五厘米

一八六　事事如意（扇面）約四十年代初期　縱二六厘米　橫五六厘米

一八七　葫蘆

約四十年代初期　縱一〇〇厘米　橫三四厘米

一八八　菊花雁來紅　約四十年代初期　縱八六厘米　横一五五厘米

八砚楼头久别人 白石

一八九　柳葉雙蟬　約四十年代初期　縱三三・二厘米　橫二六・二厘米

一九〇　事事有餘（扇面）約四十年代初期　縱一九厘米　橫五三·二厘米

一九一

桂花雙兔圖

約四十年代初期　縱一〇一厘米　橫三四·四厘米

一九二　蝦

約四十年代初期　縱六九·五厘米　横三三厘米

曉溪先生雅屬　齊白石老人畫于京華

一九三　玉堂富貴　約四十年代初期　縱一二五厘米　横五三厘米

一九四　籬菊蜜蜂　約四十年代初期　縱一〇五厘米　横三六厘米

一九五　加官多子圖　約四十年代初期　縱一一五厘米　橫五二厘米

一九六　雨後　約四十年代初期　縱一三七厘米　橫六一・五厘米

一九八　何以不行

約四十年代初期　縱二八·五厘米　橫一七厘米

一九七　菊花

約四十年代初期　縱一三七厘米　橫一四厘米

白石

一九九　嚶鳴求友圖　約四十年代初期　縱九八·五厘米　橫三三·五厘米

嚶鳴求友圖（局部）

二〇〇　紫藤

約四十年代初期　縱一〇五厘米　橫三三·五厘米

二〇一　紅蓼墨蝦（扇面）約四十年代初期　縱一八厘米　橫五〇·二厘米

二〇二　雛鷄覓食　約四十年代初期　縱四七厘米　橫三三厘米

二〇三　螃蟹　約四十年代初期　縱一三三厘米　橫三三厘米

二〇四　九秋圖　約四十年代初期　縱一〇四厘米　橫二四厘米

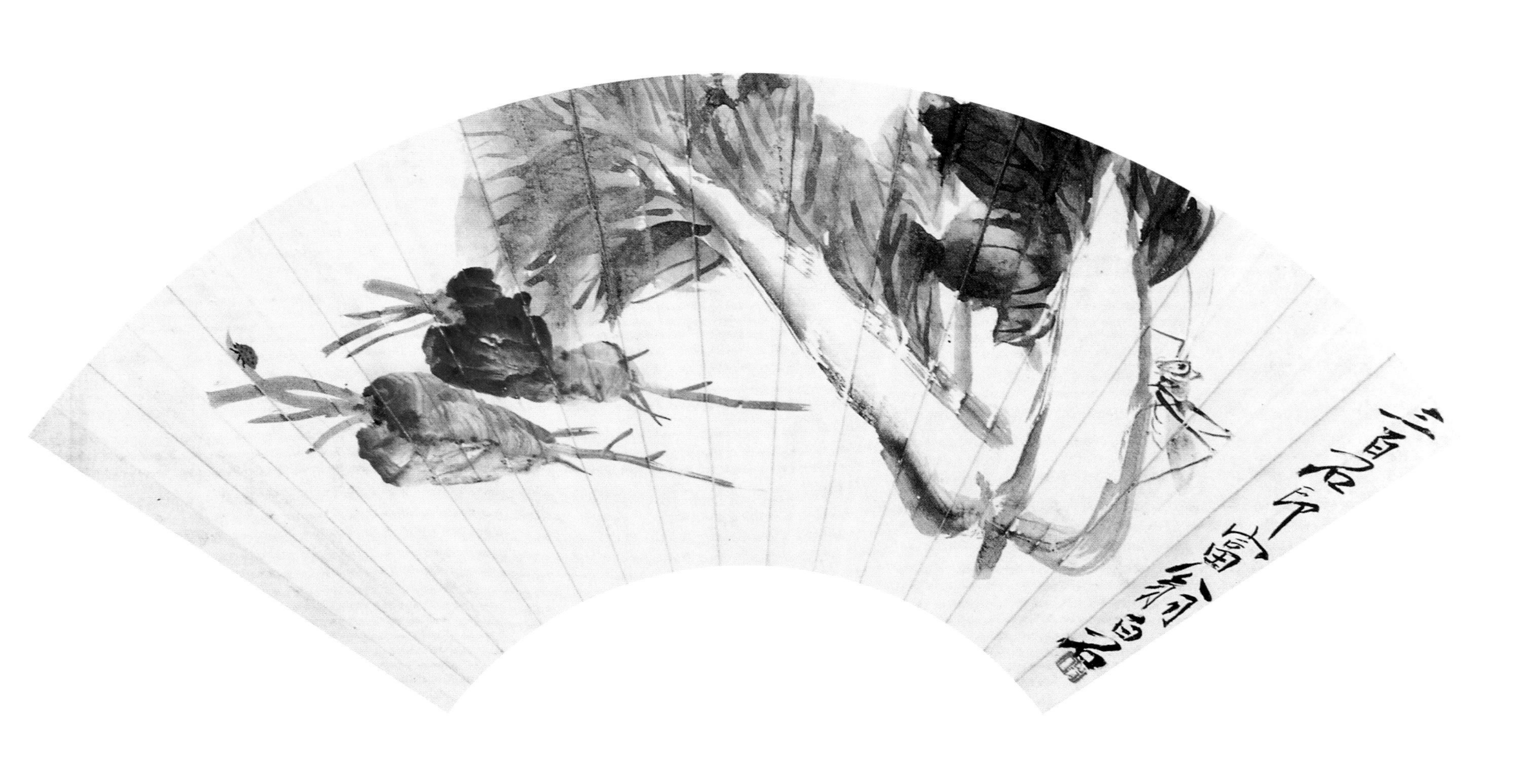

二〇五　白菜蘿蔔（扇面）約四十年代初期　縱一八厘米　横四九·五厘米

二〇六　芋葉小鷄

約四十年代初期　縱一六八厘米　橫四二·九厘米

二〇七 紅葉鳴蟬 約四十年代初期 縱三四·五厘米 橫二三·五厘米

二〇八 雁來紅

約四十年代初期 縱一〇〇厘米 橫三三厘米

二〇九　蝴蝶蘭蚱蜢（扇面）約四十年代初期　縱一九厘米　橫五四·五厘米

二一〇　三秋圖　約四十年代初期　縱三四厘米　橫一三五厘米

三百石印富翁白石

二一一　水草魚蟹（局部）

二一二　水草魚蟹　約四十年代初期　縱一四〇厘米　橫三四厘米

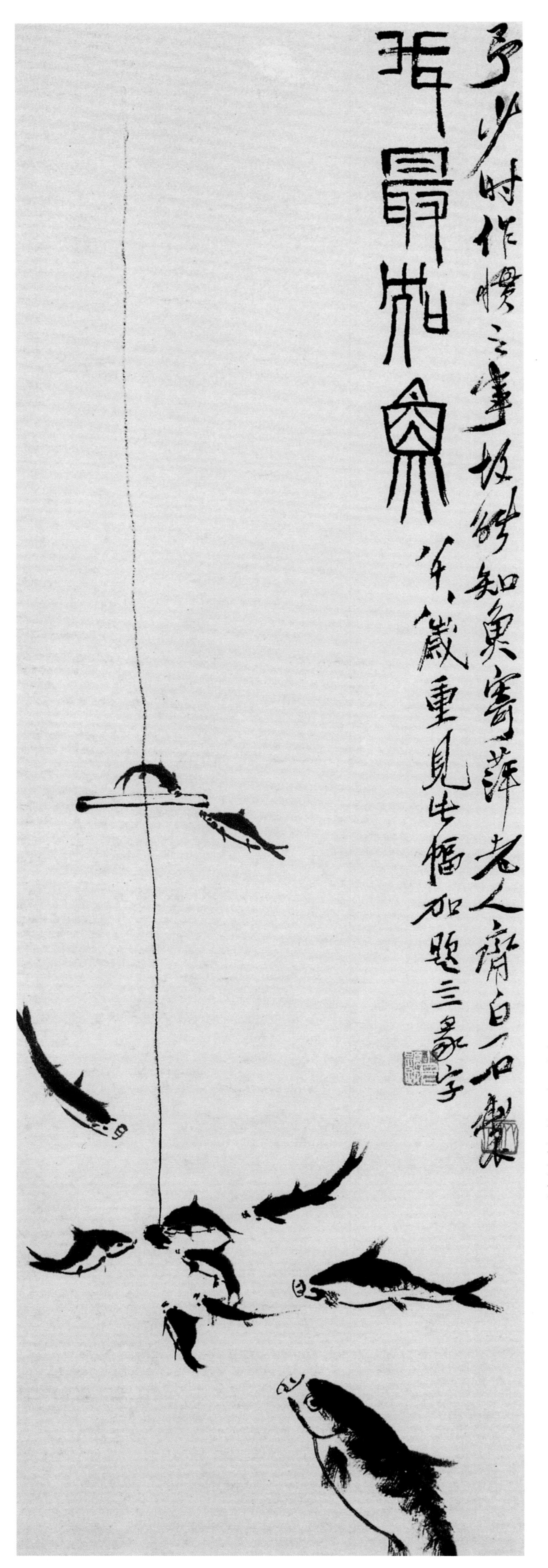

二一三 我最知魚 約四十年代初期 縱一〇二厘米 橫三四厘米

二一四　群魚圖　約四十年代初期　縱一〇〇厘米　橫三四厘米

二一五 群蝦圖 約四十年代初期 縱一〇〇・五厘米 横三四・二厘米

二一六　魚蝦同樂　約四十年代初期　縱九八厘米　橫四一厘米

二一七　白頸烏鴉　約四十年代初期　縱四五·五厘米　橫一七三·五厘米

杏子坞老民

二一八 荷趣

約四十年代初期 縱六八厘米 橫三五厘米

二一九　益壽紫芝　約四十年代初期　縱六六·二厘米　橫三七厘米

二二一〇　菖蒲草蟲　約四十年代初期　縱七七厘米　横一九·三厘米

二二一 牽牛花蜻蜓

約四十年代初期 縱一一三厘米 橫五二厘米

二三二

綠天春雨

約四十年代初期　縱一四七厘米　橫三八·五厘米

二三三　芭蕉　約四十年代初期　縱二五五厘米　橫六六・二厘米

二二四　柳枝雙鴨圖　約四十年代初期　縱四五·四厘米　橫一七二·八厘米

借山吟館主者作

二二五　白猴獻壽　約四十年代初期　縱九四厘米　橫三六厘米

二二六　寒夜客來茶當酒

約四十年代初期　縱一二九厘米　橫三七・五厘米

二三七　壽桃　約四十年代初期　縱一八〇厘米　橫四八・三厘米

二三八　南瓜蝗蟲　約四十年代初期　縱一〇一厘米　橫三三厘米

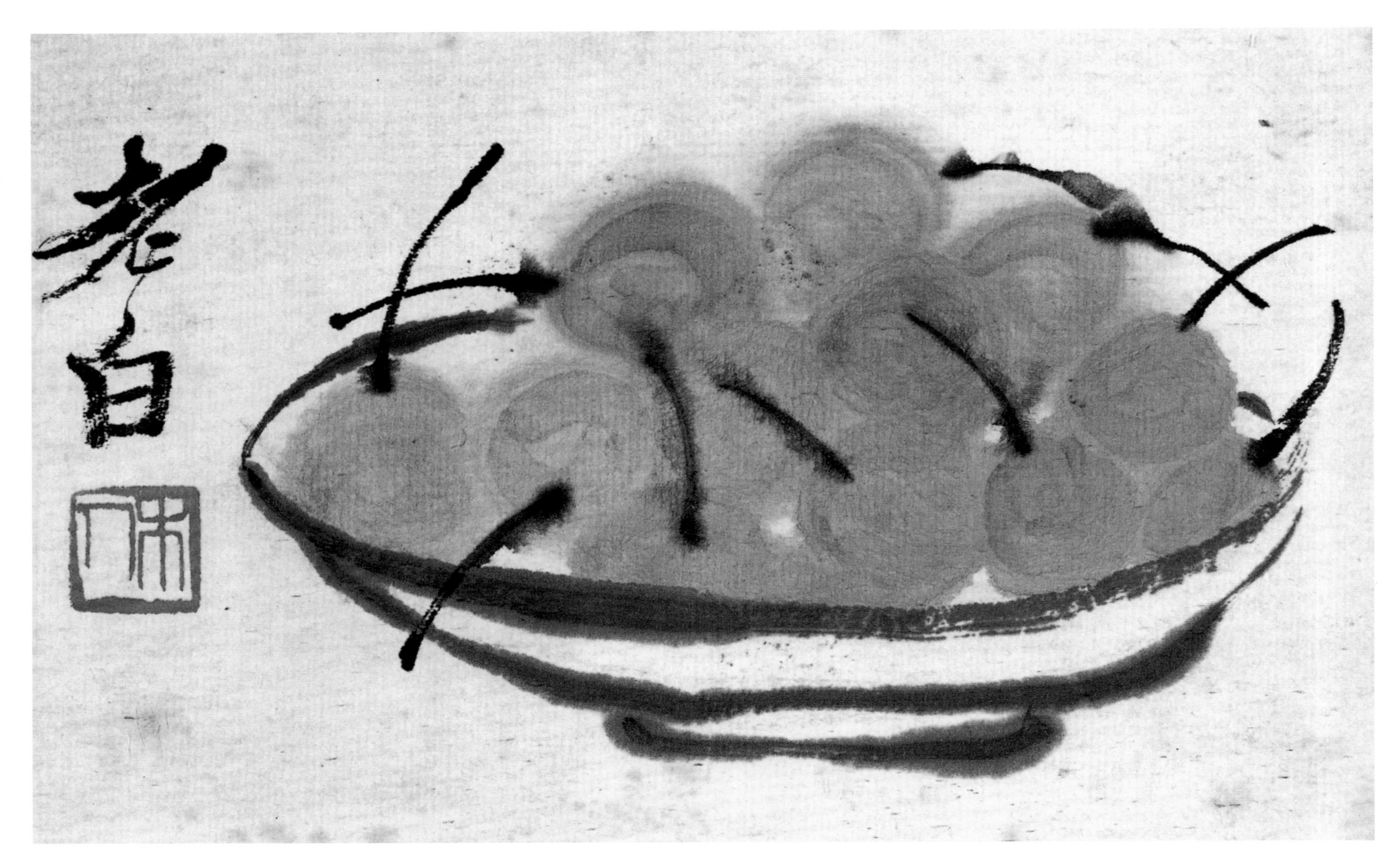

二二九　櫻桃（水果册之一）約四十年代初期　縱一〇·二厘米　横一五·九厘米

二三〇　石榴（水果册之二）約四十年代初期　縱一〇·二厘米　横一五·九厘米

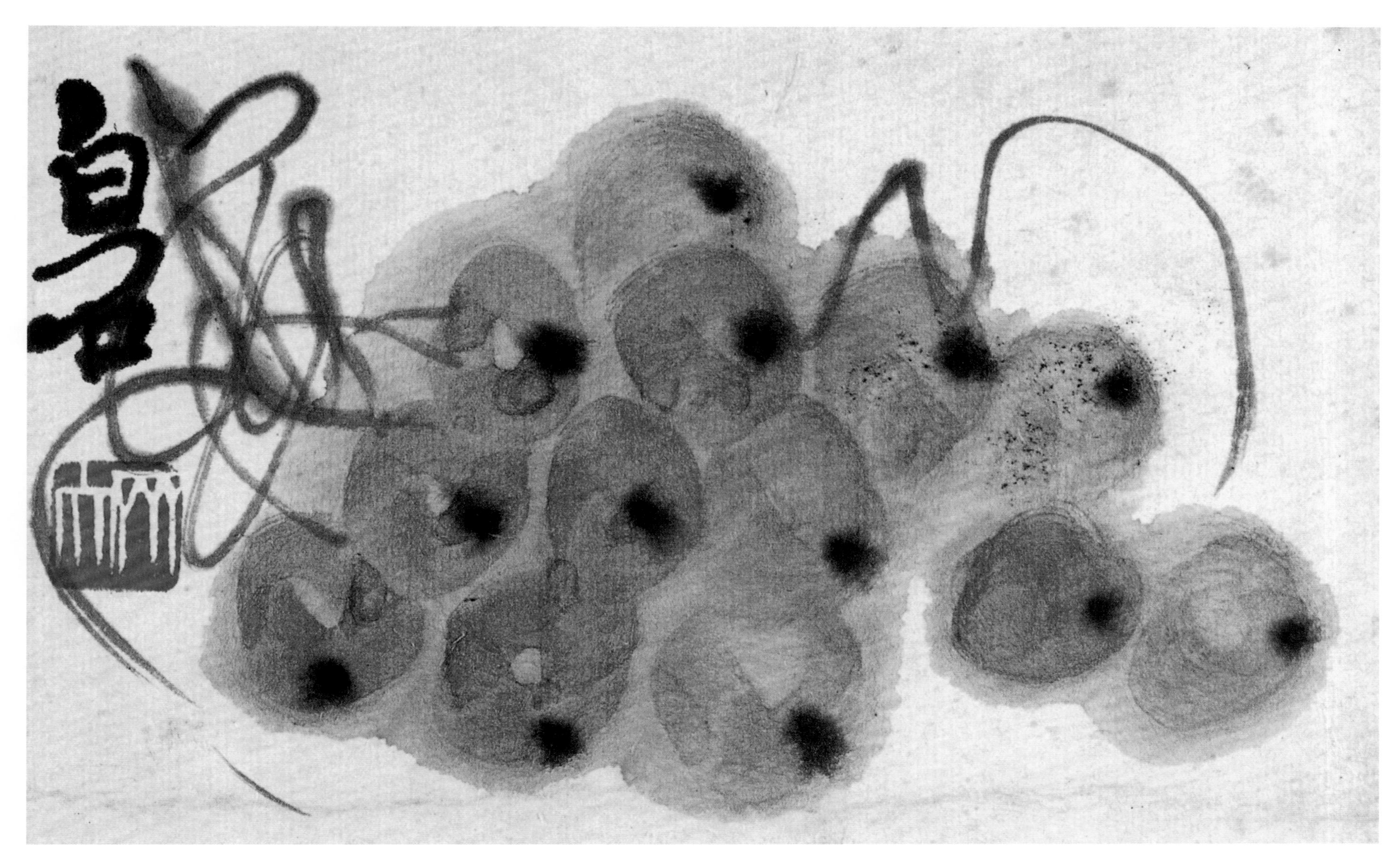

二三一　葡萄（水果册之三）　約四十年代初期　縱一〇·二厘米　橫一五·九厘米

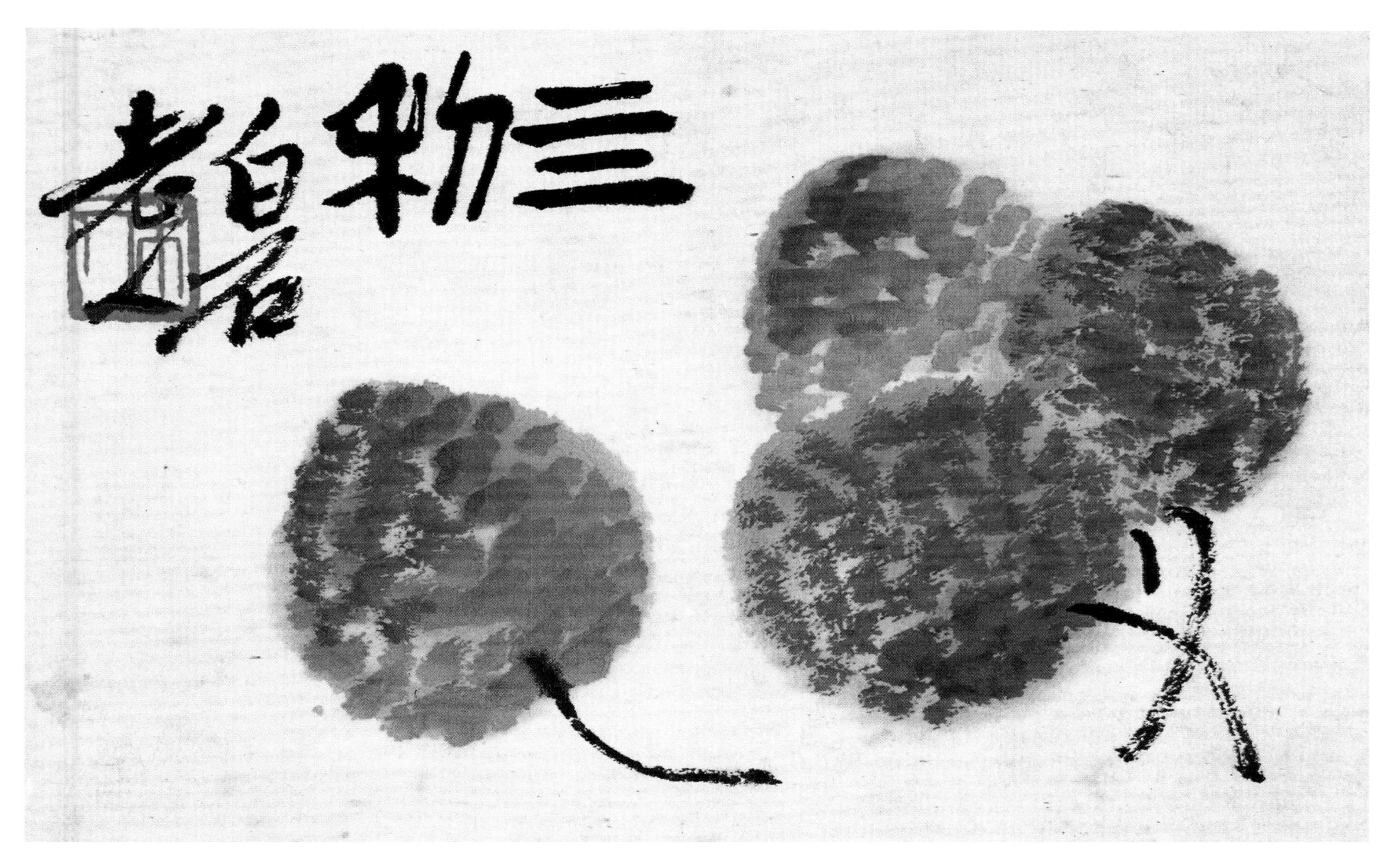

二三二　荔枝（水果册之四）　約四十年代初期　縱一〇·二厘米　横一五·九厘米

二三三　紅果（水果册之五）約四十年代初期　縱一〇·二厘米　橫一五·九厘米

二三四　桃子（水果册之六）　約四十年代初期　縱一〇·二厘米　横一五·九厘米

二三五　柿子（水果册之七）約四十年代初期　縱一〇·二厘米　横一五·九厘米

二三六　枇杷（水果册之八）約四十年代初期　縱一〇·二厘米　横一五·九厘米

二三七　壺碗蒼蠅　約四十年代初期　縱二三厘米　横二三厘米

二二三八　白菜蟋蟀　約四十年代初期　縱七三·五厘米　橫二九厘米

二三九　柿葉飄紅　約四十年代初期　縱一三四厘米　橫三四·五厘米

柿葉飄紅（局部）

二四〇　桃實圖　約四十年代初期

二四一　事事安順　約四十年代初期　縱三三厘米　橫三三·五厘米

二四二 荔枝

約四十年代初期 縱六六・七厘米 橫三三・八厘米

二四三　花草神仙圖　約四十年代初期　縱一〇〇厘米　橫三四厘米

二四四　柳岸魚鷹　約四十年代初期　縱一〇一厘米　横三〇厘米

二四五　櫻桃　約四十年代初期　縱六六·六厘米　橫三三·六厘米

二四六　松樹八哥

約四十年代初期　縱一五四厘米　橫四二厘米

二四七 鵪鶉稻穗 約四十年代初期 縱八七·五厘米 橫二六·五厘米

二四八　歲朝圖

約四十年代初期　縱一一〇・二厘米　橫五〇・五厘米

二四九　紅果鷄冠花　約四十年代初期　縱六七厘米　橫三二厘米

二五〇 海棠雁來紅

約四十年代初期 縱一〇三厘米 横三四厘米

二五一　墨牡丹　約四十年代初期　縱九八厘米　橫三四厘米

二五二　松鷹圖　約四十年代初期　縱一七八厘米　橫四八厘米

二五三　松鷹圖　約四十年代初期　縱一〇一厘米　橫三四厘米

二五四　蘋果（水果魚蟹屏之一）　約四十年代初期　縱四一·五厘米　橫二六·五厘米

二五五　櫻桃（水果魚蟹屏之二）　約四十年代初期　縱四一・五厘米　横二六・五厘米

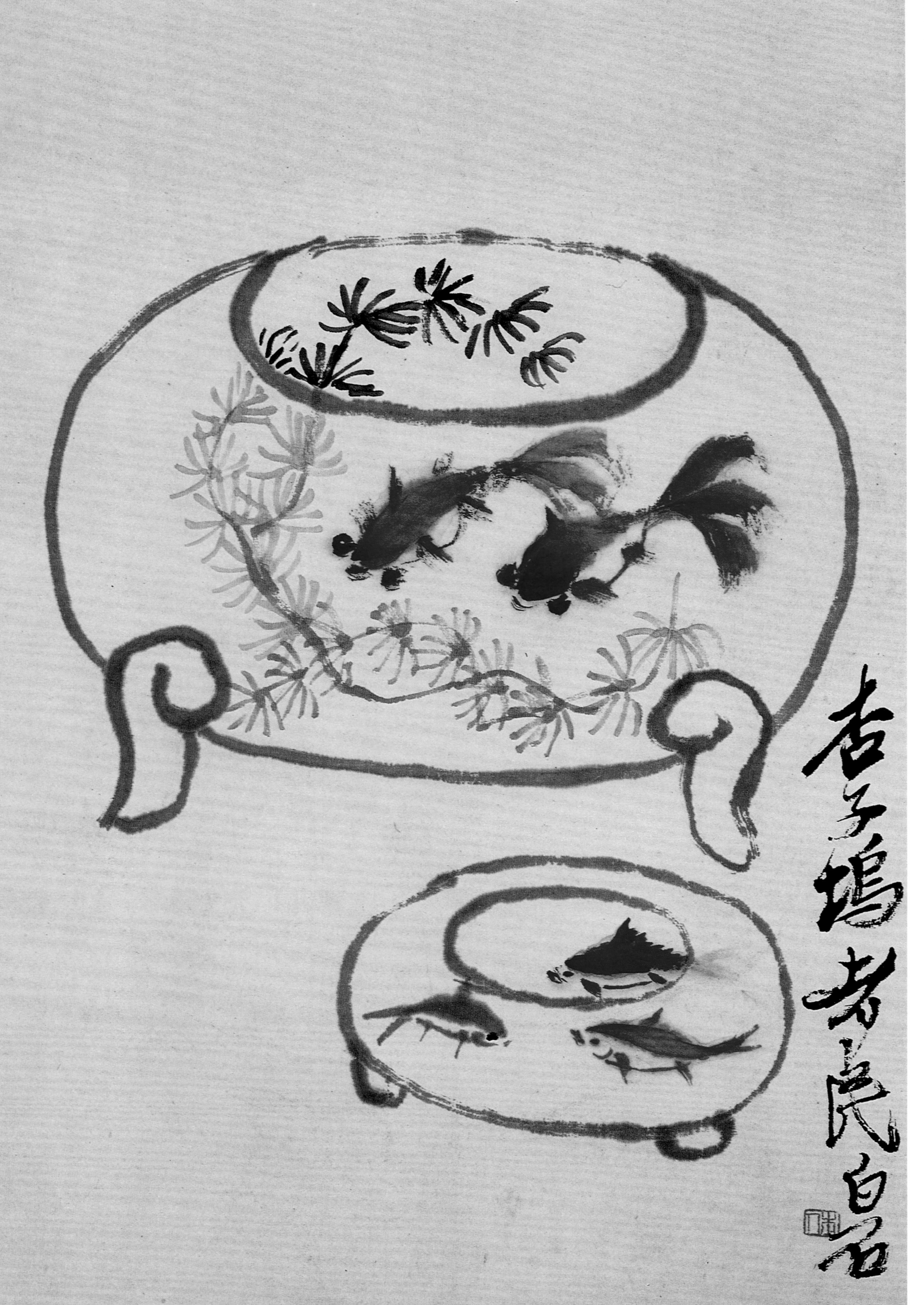

二五六　金魚（水果魚蟹屏之三）　約四十年代初期　縱四一・五厘米　橫二六・五厘米

二五七　酒蟹（水果魚蟹屏之四）約四十年代初期　縱四一·五厘米　橫二六·五厘米

二五八

棕樹麻雀　約四十年代初期　縱一〇〇厘米　橫三四厘米

二五九　紅蓼草蟲　約四十年代初期　縱六八厘米　橫三四厘米

二六〇

菊花

約四十年代初期　縱一三七厘米　橫三四厘米

二六一　瓶梅圖　約四十年代初期　縱六六・二厘米　橫三一・五厘米

二六二　螃蟹（扇面）約四十年代初期　縱一八厘米　橫五〇厘米

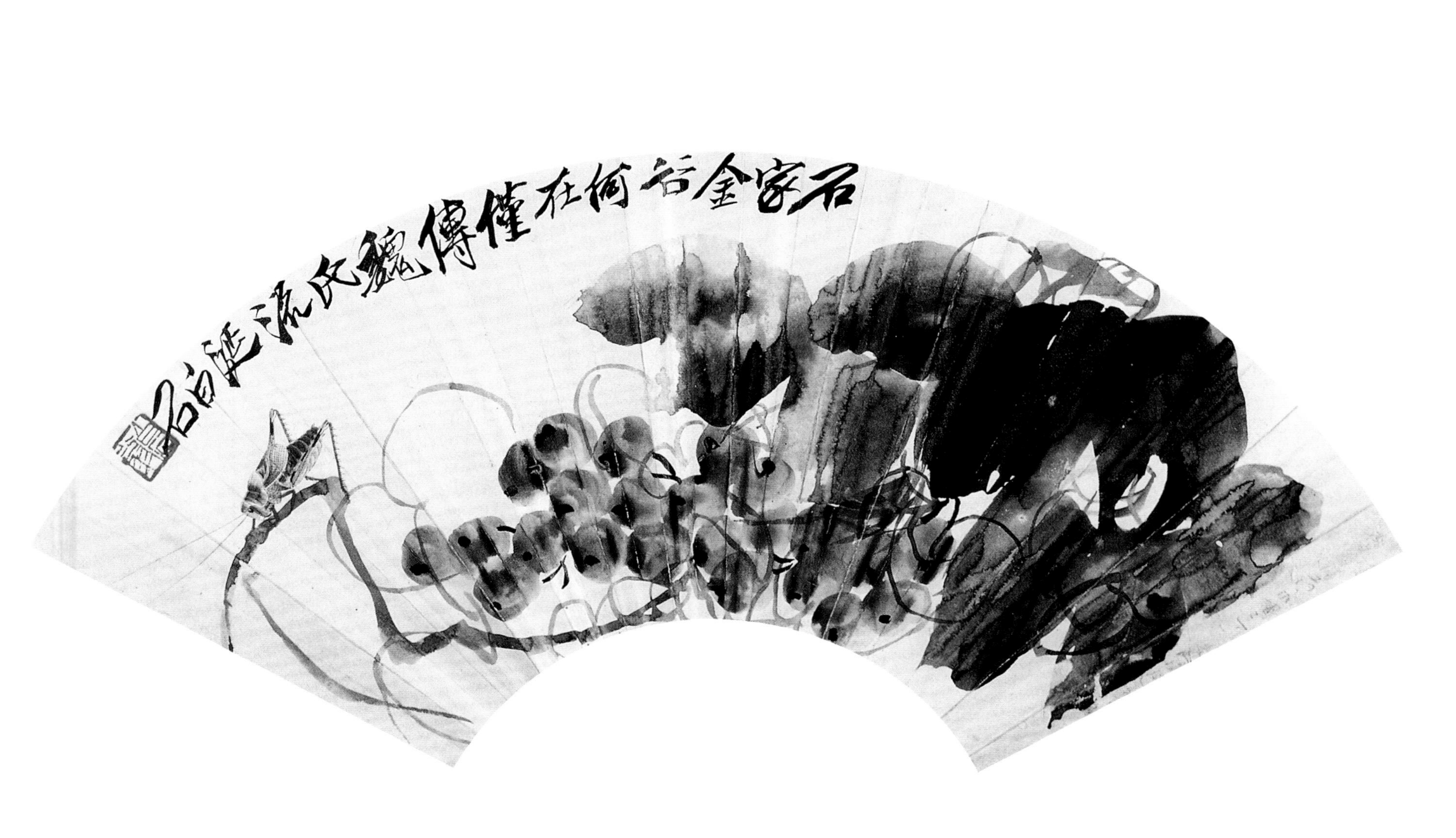

二六三　葡萄草蟲（扇面）約四十年代初期　縱一九·五厘米　橫五五厘米

二六四　荔枝蜜蜂（扇面）約四十年代初期　縱一八厘米　橫五一·五厘米

二六五　蝴蝶蘭（扇面）約四十年代初期　縱一八厘米　橫五〇厘米

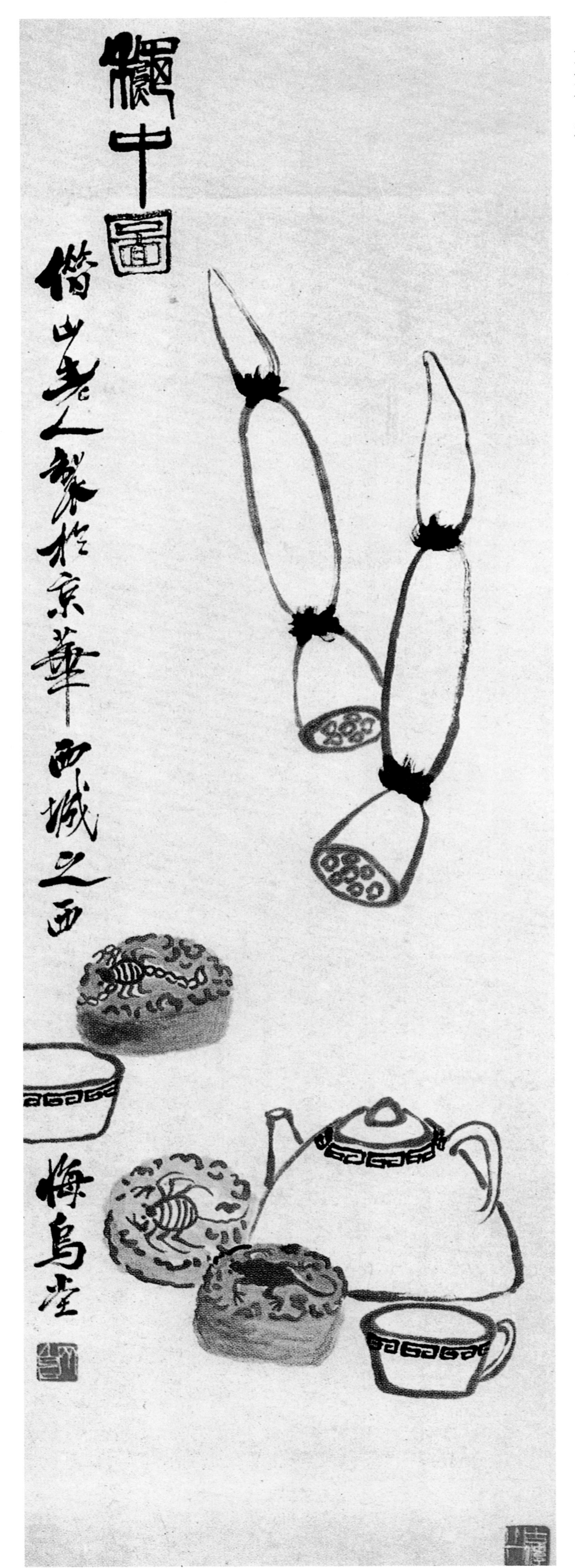

二六六 秋中圖

約四十年代初期 縱一〇一・六厘米 橫三三・二厘米

二六七　玉蘭雛鷄　約四十年代初期

二六八　雄鷄螳螂

約四十年代初期　縱一〇二・六厘米　橫三三・六厘米

二六九　白菜蘑菇　約四十年代初期　縱一〇六厘米　橫三六・五厘米

二七〇 池塘青草蛙聲 約四十年代初期 縱六八厘米 橫三四・五厘米

二七一　荷花白鷺圖　約四十年代初期　縱一〇〇·五厘米　橫三四厘米

二七二

白菜

約四十年代初期　縱一一二·六厘米　橫五四厘米

二七三　漁家樂　約四十年代初期　縱一〇〇厘米　橫三三厘米

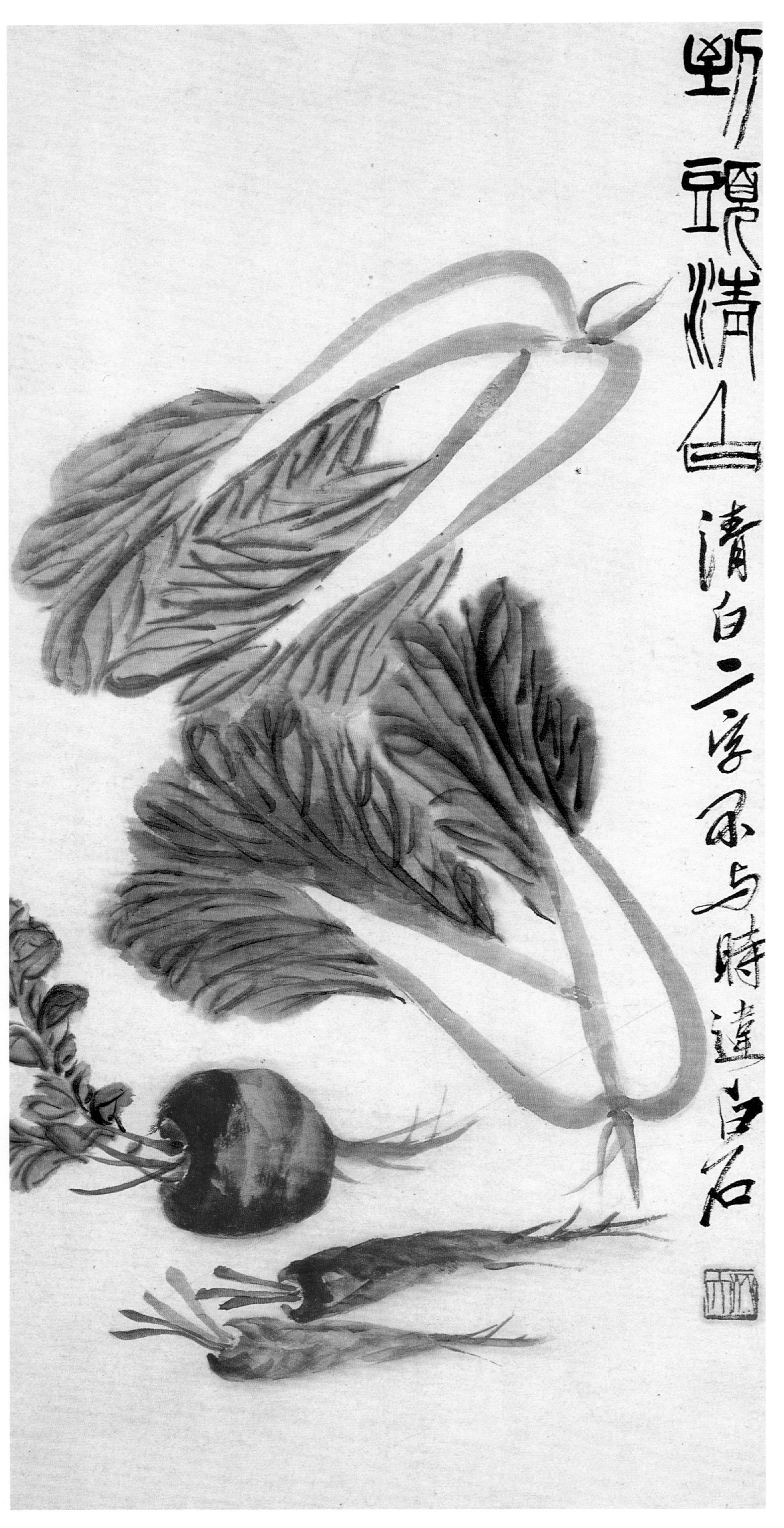

二七四　到頭清白圖　約四十年代初期　縱六七·五厘米　橫三三·八厘米

二七五　筆硯茶具圖　約四十年代初期　縱九二厘米　橫二五·五厘米

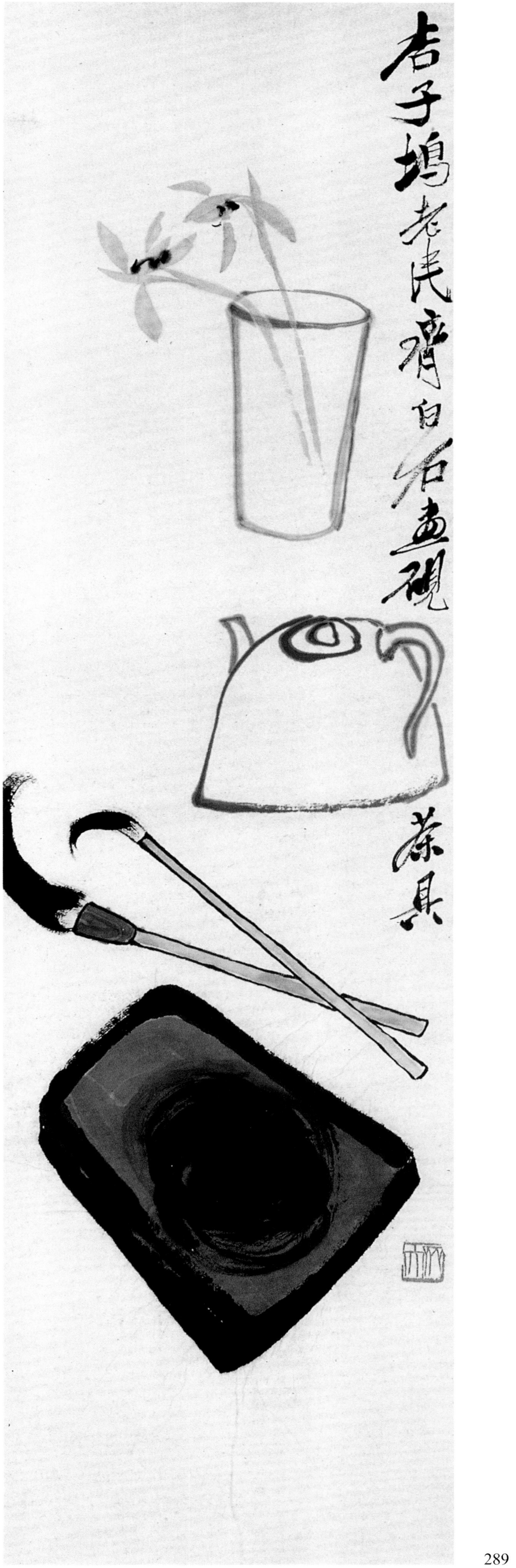

二七六 藤蘿

約四十年代初期 縱一三七厘米 橫三四厘米

二七七　粟穗螳螂　約四十年代初期　縱一一七厘米　横四〇·五厘米

二七八　玉蘭花

約四十年代初期　縱一六七·九厘米　橫四二·九厘米

二七九　荷花翠鳥（扇面）　約四十年代初期　縱二四厘米　橫五三厘米

二八〇

杏花

約四十年代初期　縱一〇〇厘米　橫三三厘米

二八一　荷塘清趣

約四十年代初期　縱一四六厘米　橫六六厘米

二八二　茶花　約四十年代初期　縱一〇一厘米　橫三四厘米

二八三　枯樹歸鴉　約四十年代初期　縱三二厘米　橫三四·六厘米

二八四　岱廟圖　約四十年代初期　縱一一三厘米　橫四八·五厘米

二八五　冰庵刻印圖　約四十年代初期　縱一〇一厘米　橫五一・五厘米

二八六 劉海戲蟾 約四十年代初期 縱一二四厘米 橫四二·五厘米

二八七

劉海戲蟾

約四十年代初期　縱一一九厘米　橫三三厘米

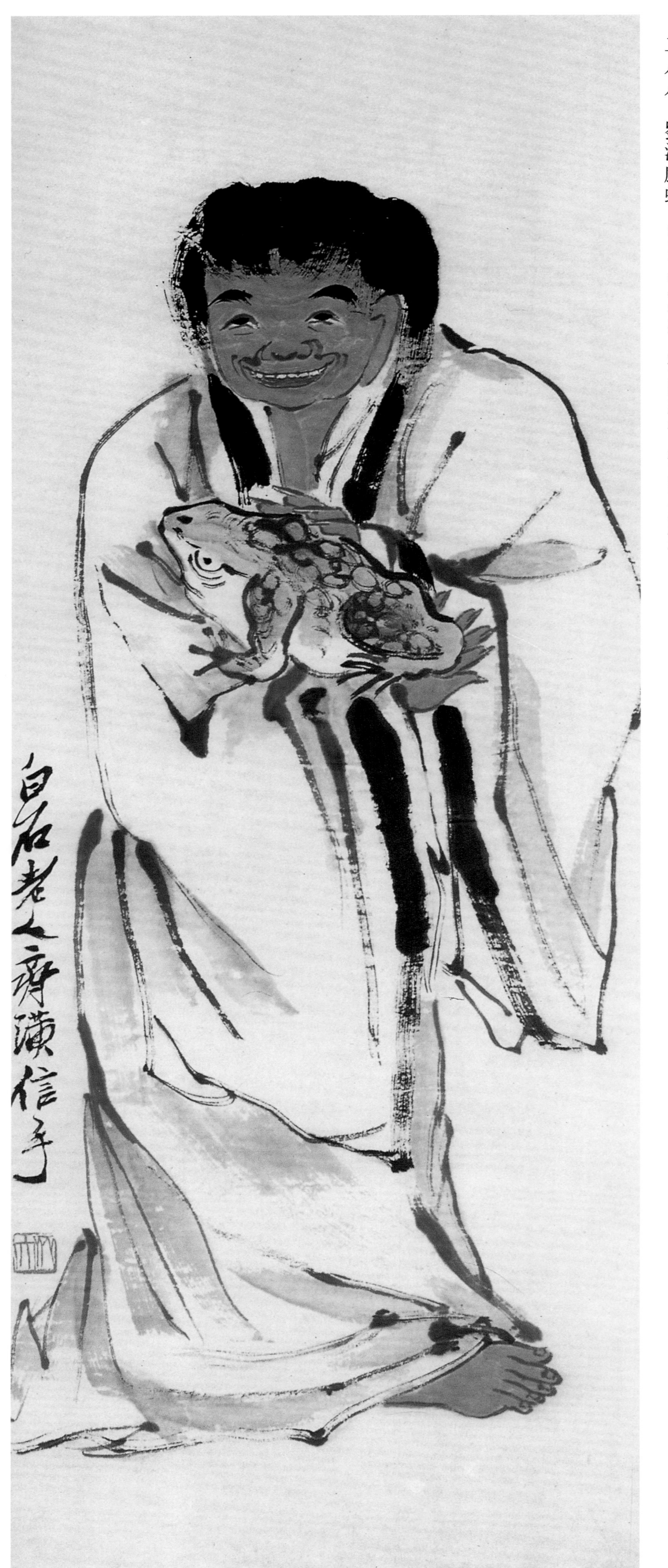

二八八

劉海戲蟾

約四十年代初期　縱九〇厘米　橫三四·五厘米

二八九　鐵拐李　一九四四年　縱八五·三厘米　橫四七·七厘米

二九〇　秋瓜　一九四四年　縱一三二厘米　橫三二厘米

二九一　荔枝　一九四四年　縱一〇一·二厘米　横四三厘米

二九二　牡丹筆硯

一九四四年　縱一三二・四厘米　橫三七・一厘米

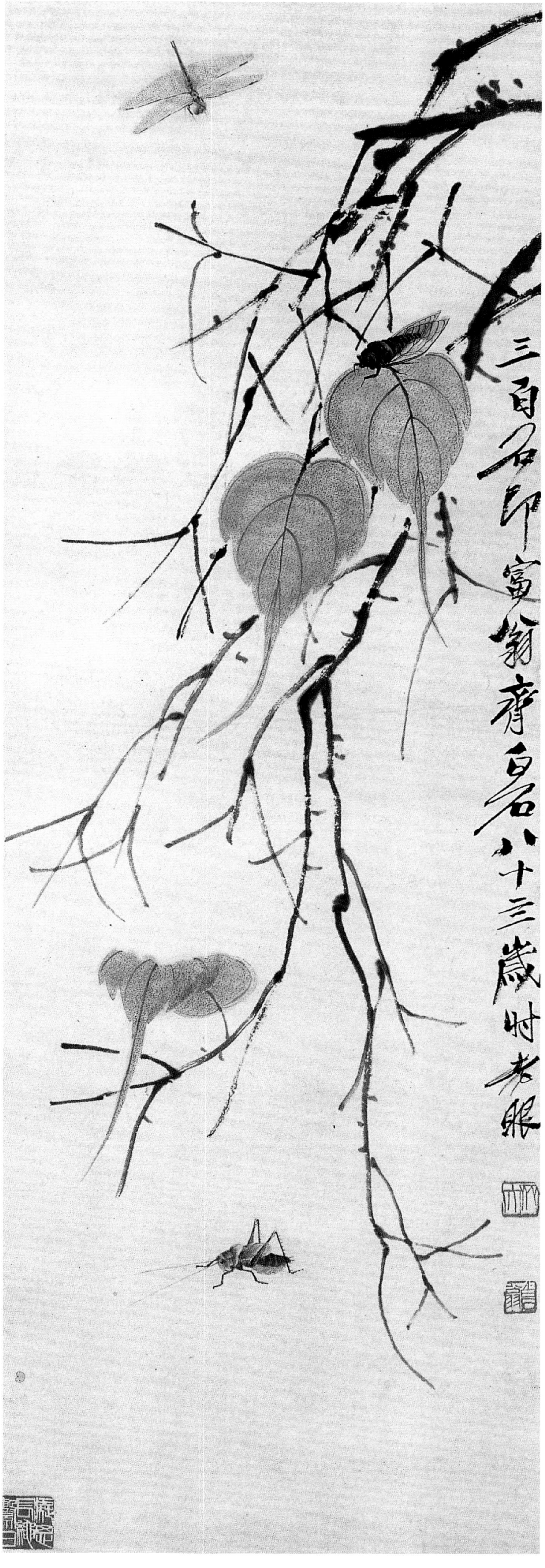

二九三　貝葉草蟲　一九四四年　縱一〇一·三厘米　橫三四·二厘米

二九四　飛蛾（昆蟲册之一）　一九四四年　縱二八·一厘米　橫二〇·八厘米

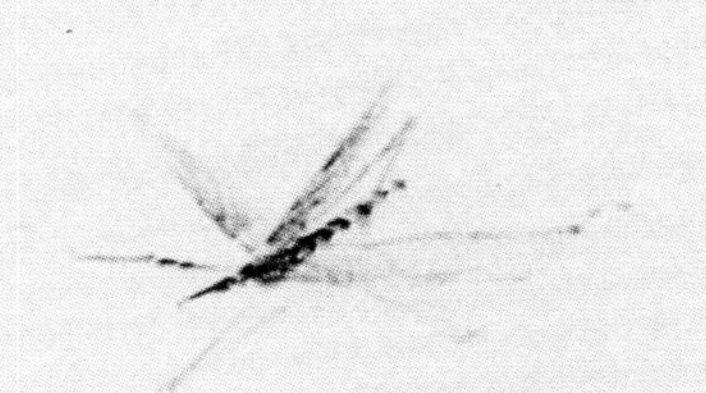

二九五　蜘蛛蚊子（昆蟲册之二）一九四四年　縱二八·一厘米　橫二〇·八厘米

二九六　蟬（昆蟲册之三）一九四四年　縱二八·一厘米　横二〇·八厘米

二九七　蟈蟈（昆蟲册之四）　一九四四年　縱二八·一厘米　横二〇·八厘米

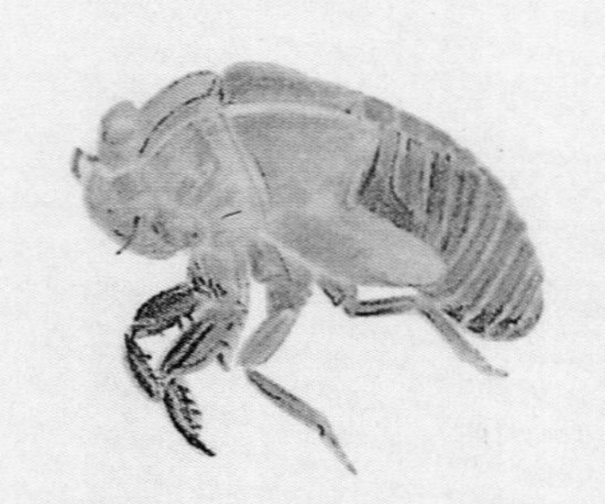

二九八　蟬蜕　（昆蟲册之五）　一九四四年　縱二八·一厘米　横二〇·八厘米

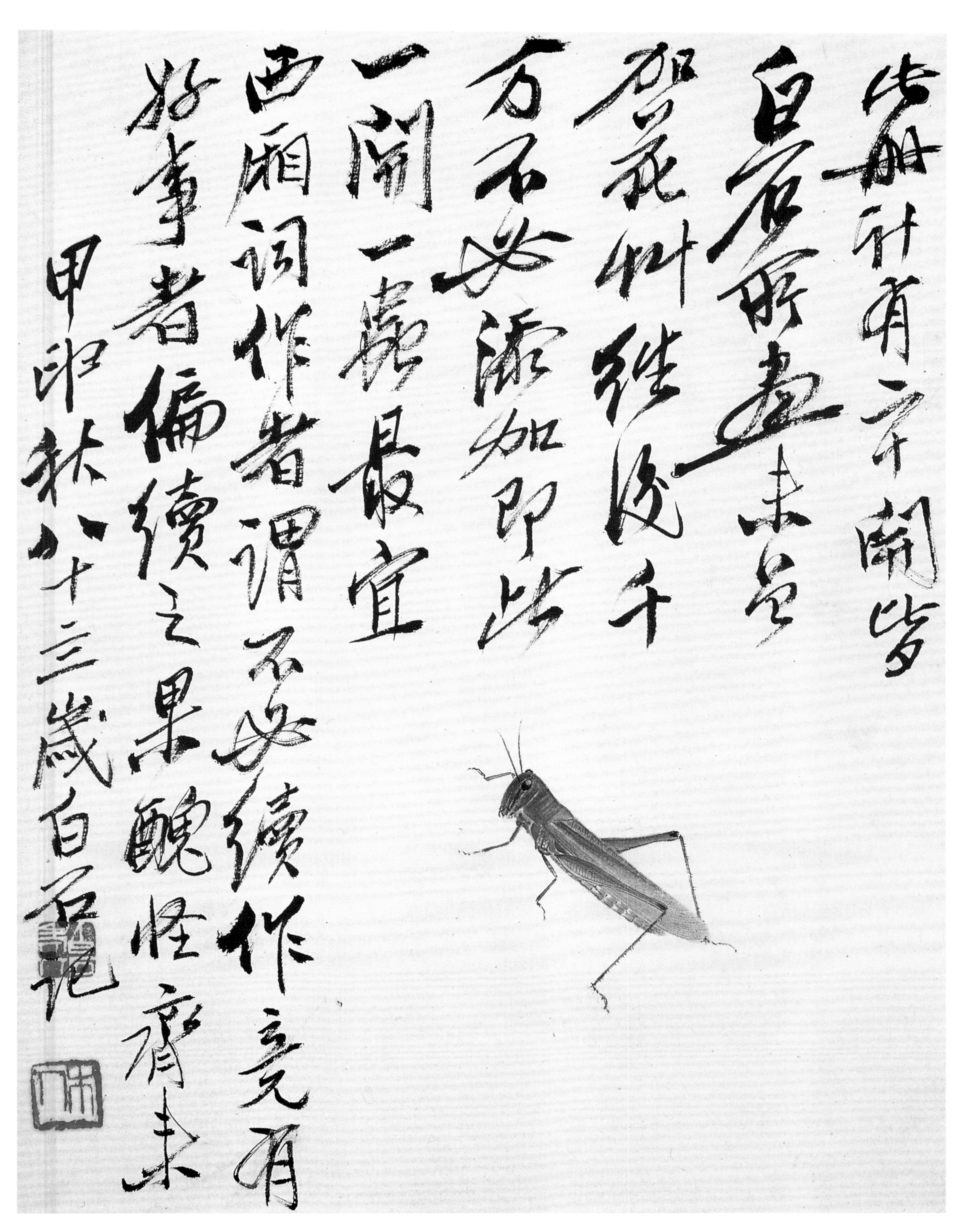

二九九　螞蚱　（昆蟲册之六）　一九四四年　縱二八·一厘米　橫二〇·八厘米

三〇〇　老少年（扇面）一九四四年　縱二四·五厘米　横五〇厘米

三〇一 蝦 一九四四年 縱六八·七厘米 橫二三·七厘米

三〇二　二月春風花不如　一九四四年　縱一〇一厘米　橫三三厘米

三〇三　母鷄孵雛　一九四四年　縱一〇八厘米　橫三五厘米

三〇四 松鶴圖 一九四四年 縱一三六・五厘米 橫三四・五厘米

三〇五　君壽千歲　一九四四年　縱一四二厘米　橫三九厘米

三〇六　菊花草蟲

一九四四年　縱六九・八厘米　橫三五・五厘米

三〇七　葡萄松鼠　一九四四年　縱一〇一厘米　橫三四厘米

三〇八　清平富貴（花卉四條屏之一）　一九四四年　縱九九厘米　横三三・五厘米

三〇九　秋色秋香（花卉四條屏之二）　一九四四年　縱九九厘米　横三三·五厘米

三一〇 桂花月餅 （花卉四條屏之三） 一九四四年 縱九九厘米 横三三·五厘米

三一一　盆菊清香（花卉四條屏之四）　一九四四年　縱九九厘米　横三三·五厘米

三一二 翥雁齊梅圖（條屏之一） 一九四四年 縱九九·五厘米 橫三三·六厘米

三一三　多壽多子圖（條屏之二）　一九四四年　縱九九·五厘米　橫三三·六厘米

三一四

牡丹花瓶

一九四四年　縱一〇三厘米　橫三四・五厘米

三一五　秋中圖　一九四四年　縱一〇二·五厘米　橫三五厘米

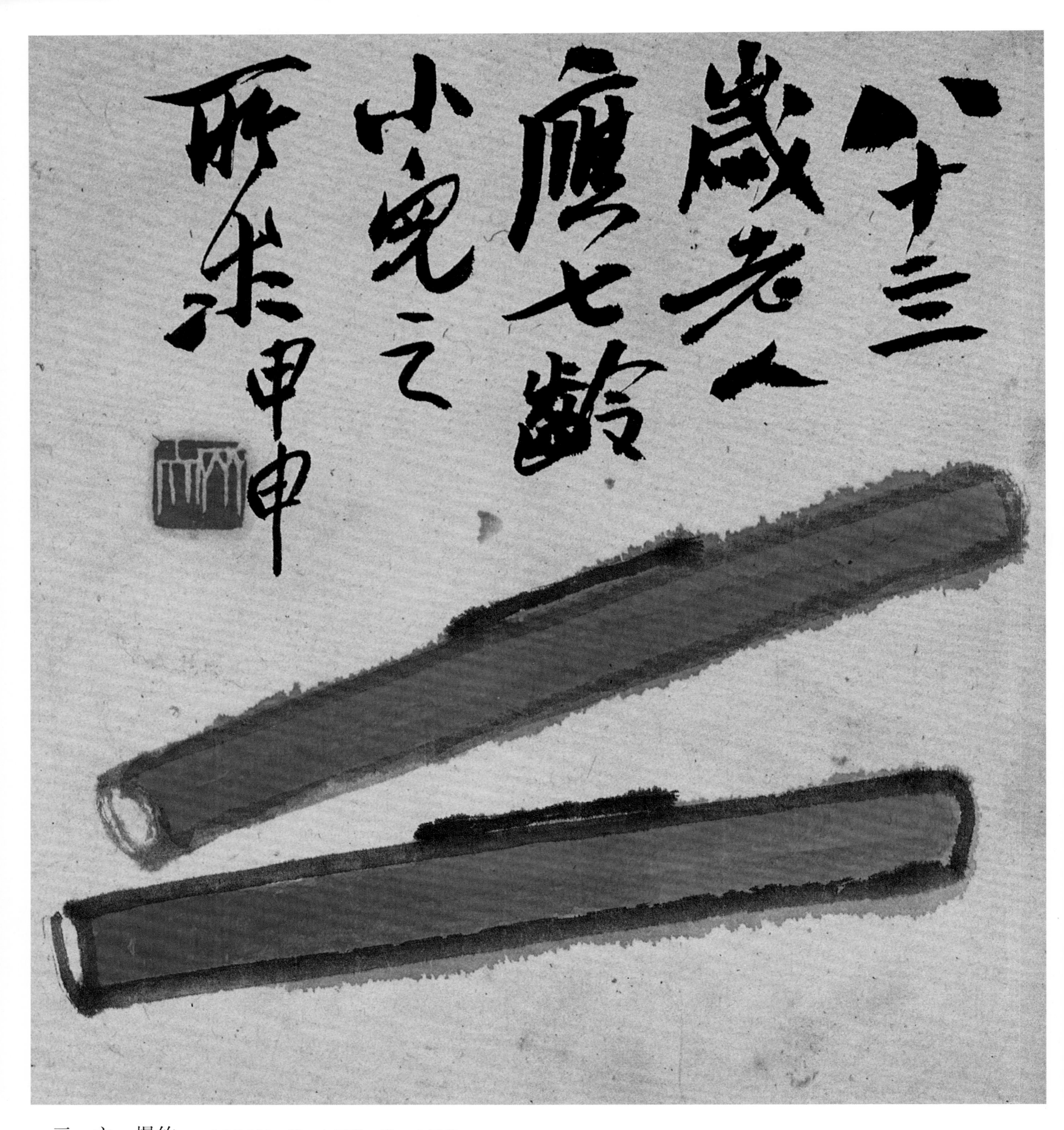

三一六　爆竹　一九四四年　縱一九厘米　横一八厘米

三一七　雛鷄圖　一九四四年　縱一〇四·五厘米　橫三三厘米

三一八　葫蘆蜻蜓（花卉草蟲册之一）一九四四年　直徑三三厘米

三一九　鳳仙蟈蟈（花卉草蟲册之二）一九四四年　直徑三三厘米

三二〇　海棠螳螂　（花卉草蟲册之三）　一九四四年　直徑三三厘米

三二一　穀穗草蜢（花卉草蟲册之四）一九四四年　直徑三三厘米

三二二　老鼠油燈　一九四四年　縱八六厘米　横三六厘米

著録·注釋

繪畫

30年代晚期—1944

1. 雙壽圖

立軸
紙本水墨設色
99.5×34cm
約 30 年代晚期

款題：
雙壽(篆)。白石山翁齊璜寫意。冬雪初晴。畫此一快事也。

印章：
齊大(朱文)

收藏：
北京市文物公司

著録：
《齊白石繪畫精萃》第 90 圖，秦公、少楷主編，吉林美術出版社，1994 年，長春。

2. 秋荷

立軸
紙本水墨設色
135×26cm
約 30 年代晚期

款題：
競秋先生之雅。齊璜白石山翁。

印章：
齊大(白文)　收藏印：□

收藏：
私人

著録：
《齊白石畫海外藏珍》第 50 圖，王大山主編，榮寶齋（香港）有限公司，1994 年，香港。

3. 荷花雙鳧

立軸
紙本水墨設色
135×33cm
約 30 年代晚期

款題：
藝圃先生正。白石璜。

印章：
老木(朱文)　收藏印：□

收藏：
私人

著録：
《齊白石畫海外藏珍》第 48 圖，王大山主編，榮寶齋（香港）有限公司，1994 年，香港。

4. 菊花螃蟹

立軸
紙本水墨
104×52cm
約 30 年代晚期

款題：
借山唸(吟)館主者。齊白石客京華時製。

印章：
木人(朱文)　齊白石(白文)
曾經霸橋風雪(白文)

收藏：
遼寧省博物館

著録：
《齊白石畫集》第 39 圖，遼寧省博物館編，遼寧美術出版社，1961 年，瀋陽。

5. 絲瓜

立軸
紙本水墨設色
101×30cm
約 30 年代晚期

款題：
杏子隖老民齊白石。種瓜老手能知藤。

印章：
齊白石(白文)

收藏：
北京市文物公司

著録：
《齊白石繪畫精萃》第 199 圖，秦公、少楷主編，吉林美術出版社，1994年，長春。

6. 藤蘿

立軸
紙本水墨設色
75×29.7cm
約 30 年代晚期

款題：
寄萍堂上老人齊白石畫于京華城西。

印章：
齊大(朱文)

收藏：
天津人民美術出版社

7. 藤蘿

立軸
紙本水墨設色
100.2×33.3cm
約 30 年代晚期

款題：
白石。
一昨友人贈佳顏色試畫之。白石又記。

印章：
白石翁(白文)
木人(朱文)

收藏：
中國美術館

8. 桃兔圖

立軸
紙本水墨設色
103.8×34.5cm
約 30 年代晚期

款題：
白石老人

印章：
白石(朱文)

收藏：
北京故宮博物院

9. 雛鷄出籠

立軸
紙本水墨
67×32cm
約 30 年代晚期

款題：
三百石印富翁。白石老人喜畫開籠。

印章：
齊大(朱文)

收藏：
北京故宮博物院

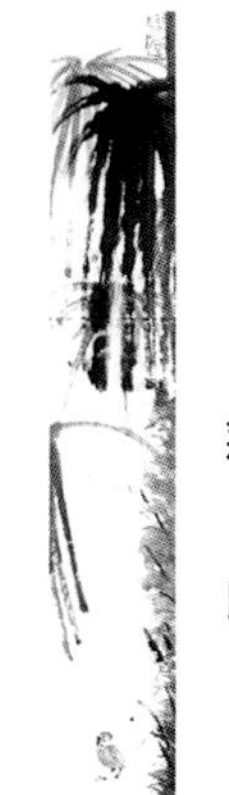

10. 棕樹麻雀

立軸
紙本水墨設色
139×19.5cm
約 30 年代晚期

款題:
璜

印章:
白石(朱文)
夢想芙蓉路八千(朱文)
悔烏堂(朱文)

收藏:
王雪濤

11. 玉蘭小鷄

立軸
紙本水墨
135.7×36.8cm
約 30 年代晚期

款題:
春風未暖亞枝斜。
雨水初乾正著葩。
桃李未開梅已過。
人間只此玉蘭花。
白石并題句。

印章:
白石翁(白文)

收藏:
中國美術館

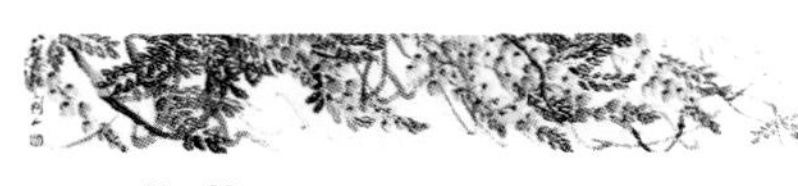

12. 藤蘿

横幅
紙本水墨設色
26×180cm
約 30 年代晚期

款題:
八硯樓頭久别人。

印章:
齊大(朱文)　悔烏堂(朱文)

收藏:
于非闇

13. 羅浮仙蝶

册頁
紙本水墨設色
33.5×26.3cm
約 30 年代晚期

款題:
羅浮仙蝶。白石。

印章:
木人(朱文)

收藏:
中國美術館

14. 紅花草蟲

册頁
紙本水墨設色
27.2×34.1cm
約 30 年代晚期

款題:
直清門客。白石。

印章:
齊大(白文)

收藏:
楊永德

著録:
《楊永德藏齊白石書畫》, 中國嘉德' 95 秋季拍賣會圖録第 261 號, 1995 年, 北京。

15. 豆莢草蟲圖

立軸
紙本水墨設色
97×32cm
約 30 年代晚期

款題:
寄萍堂上老人。

印章:
木人(朱文)

收藏:
北京市文物公司

著録:
《齊白石繪畫精萃》第 86 圖, 秦公、少楷主編, 吉林美術出版社, 1994 年, 長春。

16. 芙蓉

立軸
紙本水墨設色
71×27cm
約 30 年代晚期

款題:
瀕生

印章:
悔烏堂 (朱文)
白石(朱文)
夢想芙蓉路八千(朱文)

收藏:
王雪濤

17. 稻穗蚱蜢

立軸
紙本水墨設色
80×25cm
約 30 年代晚期

款題:
白石

印章:
老白(白文)
齊大(朱文)

收藏:
曹克家

18. 蘆花青蛙

立軸
紙本水墨設色
80×30cm
約 30 年代晚期

款題:
白石

印章:
齊大 (朱文)
白石翁(朱文)

收藏:
曹克家

19. 菊酒延年

立軸
紙本水墨設色
81×29cm
約 30 年代晚期

款題:
菊酒延年(篆)。白石篆。

印章:

齊璜(白文)
悔烏堂(朱文)
人長壽(朱文)

收藏：
王雪濤

20. 松鶴圖
立軸
紙本水墨設色
136×34cm
約 30 年代晚期

款題：
君如夫人雅屬。齊璜。

印章：
齊璜(白文)
悔烏堂(朱文)
人長壽(朱文)

收藏：
炎黃藝術館藝術中心

21. 樱桃(花果册之一)
册頁
紙本水墨設色
26×19cm
約 30 年代晚期

款題：
瀕生

印章：
齊大(白文)

收藏：
原藏于非闇，現藏梁穗。

22. 桃(花果册之二)
册頁
紙本

26×19cm
約 30 年代晚期

款題：
瀕生

印章：
齊大(白文)

收藏：
原藏于非闇，現藏梁穗。

23. 豆莢(花果册之三)
册頁
紙本水墨設色
26×19cm
約 30 年代晚期

款題：
寄萍堂上老人。

印章：
齊璜(白文)

收藏：
原藏于非闇，現藏梁穗。

24. 老少年(花果册之四)
册頁
紙本水墨設色
26×19cm
約 30 年代晚期

款題：
阿芝

印章：
齊大(白文)　悔烏堂(朱文)

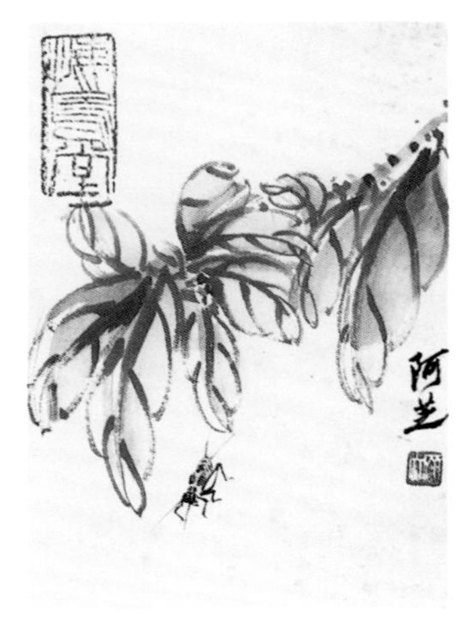

收藏：
原藏于非闇，現藏梁穗。

25. 白菜雛鷄
立軸
紙本水墨
99.4×32.5cm
約 30 年代晚期

款題：
借山唫(吟)館主者齊璜作。小印倒施乃老年人多如是。

印章：
齊大(朱文・倒施)
老木(朱文)
收藏印：□

收藏：
首都博物館

26. 紅梅雙鵲
立軸
紙本水墨設色
101.1×32.4cm
約 30 年代晚期

款題：
齊璜

印章：
齊大(朱文)

收藏：
中國美術館

著録：
《齊白石繪畫精品選》第 72 圖，董玉龍主編，人民美術出版社，1991 年，北京。

27. 雙桃
立軸
紙本水墨設色
100×33cm
約 30 年代晚期

款題：

長壽(篆)。三百石印富翁。

印章：

老木(朱文)

白石翁(白文)

人長壽 (朱文)

悔烏堂(朱文)

收藏：

朱為清

28. 牡丹(花卉草蟲册之一)

册頁

紙本水墨設色

33.7×29.7cm

約 30 年代晚期

款題：

大富貴(篆)。白石。

印章：

白石翁(白文)　人長壽(朱文)

收藏：

曹克家

29. 雙壽(花卉草蟲册之二)

册頁

紙本水墨設色

33.8×29.5cm

約 30 年代晚期

款題：

白石

印章：

白石翁(白文)　白石翁(朱文)

人長壽(朱文)

收藏：

曹克家

30. 梅花(花卉草蟲册之三)

册頁

紙本水墨設色

33.6×29.5cm

約 30 年代晚期

款題：

三百石印富翁白石。

印章：

白石翁(白文)　悔烏堂(朱文)

收藏：

曹克家

31. 荔枝(花卉草蟲册之四)

册頁

紙本水墨設色

33.7×29.7cm

約 30 年代晚期

款題：

八硯樓頭久別人。白石。

印章：

白石翁(白文)　悔烏堂(朱文)

收藏：

曹克家

32. 藤蘿(花卉草蟲册之五)

册頁

紙本水墨設色

33.7×29.7cm

約 30 年代晚期

款題：

白石

印章：

白石翁(白文)　老木(朱文)

收藏：

曹克家

33. 青蛙(花卉草蟲册之六)

册頁

紙本水墨設色

33.6×29.5cm

約 30 年代晚期

款題：

八硯樓頭久別人。白石。

印章：

齊大(白文)　白石翁(白文)

收藏：

曹克家

34. 群蟹

立軸

紙本水墨

135×35cm

約 30 年代晚期

款題：

作畫能到為好未必好矣。要無心為好而能好。則他人不能為也。白石。

印章：

齊白石(白文)

星塘白屋不出公卿(朱文)

收藏：

北京市文物公司

著録：

《齊白石繪畫精萃》第 92 圖，秦公、少楷主編，吉林美術出版社，1994年，長春。

35. 鮎魚

立軸

紙本水墨

137.4×32.9cm

約 30 年代晚期

款題：

大年(篆)。紹穀先生雅正。三百石印富翁齊璜為魚寫生。

印章：

齊大(朱文)

收藏：

中國美術館

36. 螃蟹

立軸

紙本水墨

82.5×40cm

約 30 年代晚期

款題：

白石山翁畫于舊京。

印章：

齊大(朱文)

收藏：

北京榮寶齋

37. 螳螂紅花

立軸

紙本水墨設色

40×25cm

約 30 年代晚期

款題：

皮毛傲霜類。何獨汝趨炎。白石題。

印章：

老苹(朱文)

收藏：

中國美術館

著録：

《齊白石作品集》第 44 圖，董玉龍主編，天津人民美術出版社，1990 年，天津。

38. 雉鷄蝴蝶

立軸

紙本水墨設色

60×32cm

約 30 年代晚期

款題：

白石齊璜製。

印章：

齊大(朱文)

收藏：

私人

著録：

《齊白石繪畫精品集》第 49 圖，人民美術出版社，1991 年，北京。

39. 八哥紅梅

册頁

紙本水墨設色

29.4×37.8cm

約 30 年代晚期

款題：

子貞先生四十又五之慶。白石。

印章：

齊大(朱文)

收藏印：趙子貞印(白文)

收藏：

天津人民美術出版社

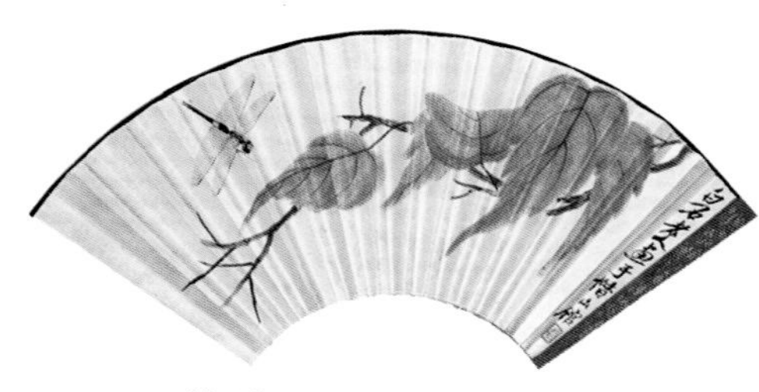

40. 貝葉蜻蜓

扇面

紙本工筆設色

19×36.5cm

約 30 年代晚期

款題：

白石老人畫于借山館。

印章：

白石山翁(朱文)

收藏：

私人

41. 葡萄

立軸

紙本水墨設色

86×36cm

約 30 年代晚期

款題：

借山館在湘潭南行一百廿餘里。有葡萄。白石。

印章：

齊白石(白文)

歸夢看池魚(朱文)

收藏印：湖南省文物管理委員會收藏(朱文)

收藏：

湖南省博物館

著録：

《齊白石繪畫選集》第 5 圖，湖南省博物館編，湖南美術出版社，1980 年，長沙。

42. 青菜八哥

立軸

紙本水墨設色

56×32.5cm

約 30 年代晚期

款題：

以青緑著(着)菜葉。亦是本色。寄萍堂上老人。

印章：

木居士(白文)

收藏印：祖國文化同浩鑒藏(白文)

徐石雪鑒賞書畫印(朱文)

收藏：

江蘇省美術館

43. 蘭花蜂蝶

立軸

紙本水墨設色

30×20cm

約 30 年代晚期

款題：

借山老人。
他人題記：
雪濤補蜂蝶。
印章：
木人(朱文)
收藏印：雪濤長年(白文)
收藏：
天津人民美術出版社

44. 蟋蟀蝴蝶蘭
團扇
絹本水墨設色
直徑 20cm
約 30 年代晚期
款題：
碧環兒媳。
印章：
芐翁(白文)
收藏：
齊良遲

45. 荷花草蟲
扇面
紙本水墨設色
18×50.4cm
約 30 年代晚期
款題：
白石山人。
印章：
木人(朱文)
收藏：
北京榮寶齋

46. 黑山羊
立軸
紙本水墨設色
81.5×38cm
約 30 年代晚期
款題：
門客余中英代人求畫十二屬。留稿。白石老人。
印章：
齊(白文)
夢想芙蓉路八千(朱文)
收藏：
中央工藝美術學院

47. 依樣無羞
立軸
紙本水墨設色
102×34cm
約 30 年代晚期
款題：
畫瓜須垂垂正大。依樣無羞。白石老人齊璜。
印章：
齊大(朱文)
收藏印：□
收藏：
霍宗傑
著録：
《齊白石畫海外藏珍》第 56 圖，王大山主编，榮寶齋（香港）有限公司，1994 年，香港。

48. 荷花
立軸
紙本水墨設色
98×34cm
約 30 年代晚期
款題：
白石老人齊璜作。
印章：
白石翁(朱文)
收藏：
霍宗傑
著録：
《齊白石畫海外藏珍》第 44 圖，王大山主编，榮寶齋（香港）有限公司，1994 年，香港。

49. 臘梅圖
立軸
紙本水墨設色
137×34cm
約 30 年代晚期
款題：
齊璜
印章：
老白(白文)
收藏：
霍宗傑
著録：
《齊白石畫海外藏珍》第 43 圖，王大山主编，榮寶齋（香港）有限公司，1994 年，香港。

50. 秋色有香
立軸
紙本水墨設色
68.8×34.3cm
約 30 年代晚期
款題：
秋色有香(篆)。借山唫(吟)館主者。白石齊璜。
印章：
齊大(朱文)
收藏：
私人
著録：
《齊白石畫集》第 55 圖，嚴欣强、金岩编，外文出版社，1991 年，北京。

51. 棕樹小鷄
立軸
紙本水墨設色
81×28cm
約 30 年代晚期
款題：
德美鄉先生屬。齊璜。
印章：
老木(朱文)
收藏：
私人
著録：
《齊白石繪畫精品集》第 35 圖，人民美術出版社，1991 年，北京。

52. 雁來紅

立軸
紙本水墨設色
135×36cm
約 30 年代晚期

款題：
杏子隖老民齊白石畫于舊京華。

印章：
白石翁(白文)
齊大(朱文)

收藏：
私人

著録：
《齊白石繪畫精品集》第 74 圖，人民美術出版社，1991 年，北京。

53. 殘荷圖

立軸
紙本水墨設色
250×64cm
約 30 年代晚期

款題：
白石齊璜。

印章：
白石(朱文)　年高身健不肯作神仙(朱文)

收藏：
私人

著録：
《齊白石繪畫精品集》第 41 圖，人民美術出版社，1991 年，北京。

54. 群魚圖

立軸
紙本水墨
約 30 年代晚期

款題：
予曾游(遊)南昌。於丁姓家得見八尺帋(紙)之大幅四幅。乃朱雪个真本。予臨摹再三，得似十之五六。中有大小魚一幅。筆情減少。能得神似。惜丁巳成劫灰。可太息也。今畫此幅。因憶及之。白石。

印章：
老齊(朱文)

收藏：
中國美術館

著録：
《齊白石作品集》第 6 圖，董玉龍主編，天津人民美術出版社，1990 年，天津。

55. 鷄冠花

立軸
紙本水墨設色
133×33cm
約 30 年代晚期

款題：
汲汲高官(篆)。借山唫(吟)館主者作畫。平生不喜稠密。最恥(耻)雜湊。老年猶省少。
韵南先生清屬。齊璜。

印章：
齊大(白文)　老白(白文)

收藏：
天津人民美術出版社

56. 葡萄

立軸
紙本水墨設色
133×35cm
約 30 年代晚期

款題：
鍔風先生雅正。杏子隖白石。

印章：
白石(朱文)
收藏印：□

收藏：
霍宗傑

著録：
《齊白石畫海外藏珍》第 49 圖，王大山主編，榮寶齋(香港)有限公司，1994 年，香港。

57. 荷塘雙鴨

立軸
紙本水墨設色
118×33.5cm
約 30 年代晚期

款題：
白石

印章：
老木(朱文)

收藏：
北京榮寶齋

58. 蓮花蜻蜓

扇面
紙本水墨設色
18×50.2cm
約 30 年代晚期

款題：
齊璜

印章：
木人(朱文)

收藏：
天津人民美術出版社

59. 枯樹歸鴉圖

立軸
紙本水墨設色
102.7×34.1cm
約 30 年代晚期

款題：
八哥解語偏饒舌。鸚鵡能言有是非。省却人間煩惱事。斜陽古樹看鴉歸。
三百石印富翁。

印章：
老白(白文)
收藏印：□

收藏：
中國美術館

著録：
《齊白石作品集》第 33 圖，董玉龍主編，天津人民美術出版社，1990 年，天津。

60. 枯樹歸鴉圖

立軸
紙本水墨
70×34cm
約 30 年代晚期

款題：
八哥解語偏饒舌。鸚鵡能言有是非。省却人間煩惱事。斜陽古樹看鴉歸。白石題舊句。

印章：
阿芝(朱文)

收藏：
中央美術學院附屬中學

著録：
《齊白石繪畫精品選》第 200 圖，董玉龍主編，人民美術出版社，1991 年，北京。

61. 玉蘭花瓶
立軸
紙本水墨設色
117×39cm
約 30 年代晚期

款題：
借山主者。

印章：
齊大(朱文)

收藏：
私人

著録：
《齊白石繪畫精品集》第 43 圖，人民美術出版社，1991 年，北京。

62. 牽牛花
立軸
紙本水墨設色
108×34cm
約 30 年代晚期

款題：
三百石印富翁。一夜鐙(燈)下。

印章：
齊大(朱文)

收藏：
私人

著録：
《齊白石繪畫精品集》第 44 圖，人民美術出版社，1991 年，北京。

63. 多子多子
立軸
絹本水墨設色
102×34.5cm
約 30 年代晚期

款題：
多子多子(篆)。借山老人齊白石。
子才仁弟出帋(紙)索予隨意一揮。予無意畫。以石榴喜吾弟有多子之兆。庚辰。白石又記。

印章：
齊大(朱文)　年八十矣(白文)

收藏：
首都博物館

64. 蘆塘蛙戲
立軸
紙本水墨設色
105.5×40cm

約 30 年代晚期

款題：
子彬仁兄世先生之屬。白石璜製。

印章：
齊大(朱文)

收藏：
北京市文物公司

著録：
《齊白石繪畫精萃》第 79 圖，秦公、少楷主編，吉林美術出版社，1994 年，長春。

65. 桂花蜻蜓
鏡片
紙本水墨設色
26.6×41.1cm
約 30 年代晚期

款題：
老齊

印章：
老齊(朱文)

收藏：
中國美術館

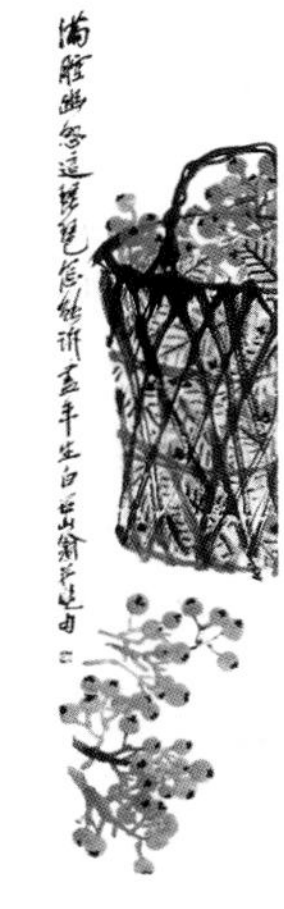

66. 枇杷
立軸
紙本水墨設色
133×32.5cm
約 30 年代晚期

款題：
滿腔幽怨這琵琶。怎能訴盡平生。白石山翁并題句。

印章：
白石翁(白文)

收藏：
陝西美術家協會

67. 藤蘿蜜蜂
立軸
紙本水墨設色
132×37cm
約 30 年代晚期

款題：
寄萍堂上老人齊璜。

印章：
白石翁(白文)

收藏：
中國美術館

著録：
《齊白石作品集》第 104 圖，董玉龍主編，天津人民美術出版社，1990 年，天津。

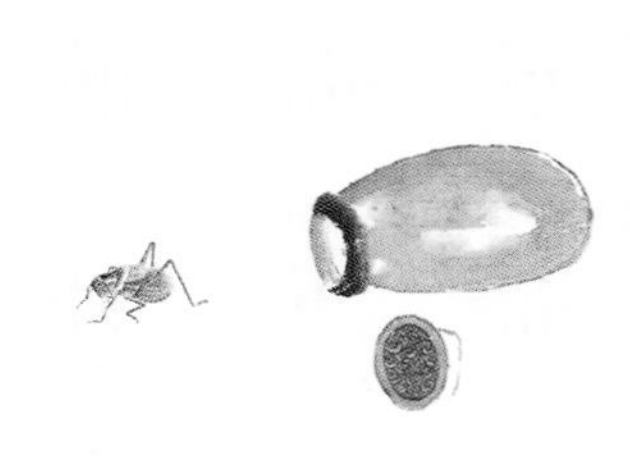

68. 葫蘆蟈蟈
册頁
紙本水墨設色
24.6×40.1cm
約 30 年代晚期

款題：
白石畫葫蘆。

印章：
白石(朱文)

收藏：
中國美術館

69. 桃花喜鵲
立軸
紙本水墨設色
104×34cm
1940 年

款題：
幼梅女畫家之屬。己卯冬十又一月。八十老人齊璜。

印章：
齊大(朱文)

收藏：
中國藝術研究院美術研究所

70. 桂花蜜蜂
立軸
紙本水墨設色
102.5×33.9cm
1940 年

款題：
羲高先生雅屬。庚辰春三月。

白石山人作。

印章：

齊大(朱文)

收藏印：□

收藏：

首都博物館

71. 壽桃

立軸

紙本水墨設色

95×32cm

1940 年

款題：

庚辰夏月。

白石老人齊璜。

印章：

齊大(朱文)

收藏：

私人

著録：

《齊白石繪畫精品集》第 63 圖，人民美術出版社，1991 年，北京。

72. 秋聲圖

立軸

紙本水墨設色

102×34cm

1940 年

款題：

子才仁弟雅屬。庚辰六月。齊璜。

印章：

年八十矣(白文)

木人(朱文)

尋常百姓人家(朱文)

收藏：

首都博物館

73. 紫藤

立軸

紙本水墨設色

214×57.8cm

1940 年

款題：

庚辰冬十月。

白石齊璜。

印章：

齊大(朱文)

收藏：

北京故宮博物院

74. 蘆塘鴨戲圖

立軸

紙本水墨

99.5×33.5cm

1940 年

款題：

慶雲先生之屬。

庚辰冬。白石老人年八十作。

印章：

齊大(朱文)

收藏：

北京市文物公司

著録：

《齊白石繪畫精萃》第 113 圖，秦公、少楷主編，吉林美術出版社，1994 年，長春。

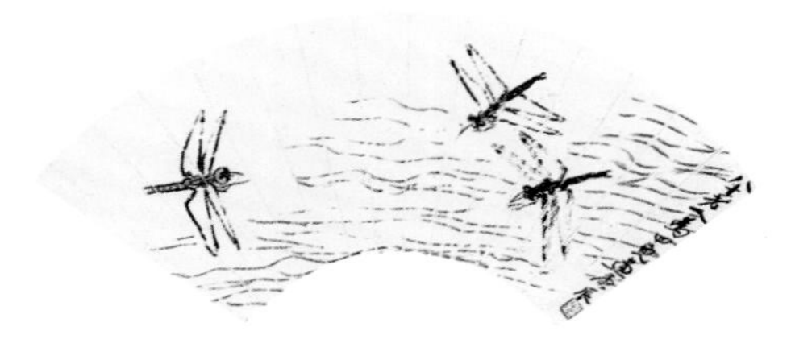

75. 蜻蜓戲水

扇面

紙本水墨設色

18×50cm

1940 年

款題：

八十老人為四兒畫。庚辰。

印章：

白石山翁(朱文)

收藏：

齊良遲

76. 雛鷄戲蟲

扇面

紙本水墨

17.5×53cm

1940 年

款題：

白石山人

印章：

年八十矣(白文)

白石老人(白文)

收藏：

天津人民美術出版社

77. 荷塘清趣圖

立軸

紙本水墨設色

134×34cm

1940 年

款題：

誠之弟永寶。庚辰。齊璜。

印章：

齊白石(白文)

吾年八十矣(白文)

收藏：

北京市文物公司

著録：

《齊白石繪畫精萃》第 101 圖，秦公、少楷主編，吉林美術出版社，1994 年，長春。

78. 菜根清香

立軸

紙本水墨設色

71×33cm

1940 年

款題：

杏子隖老民咬菜根八十年。香味猶清。

印章：

齊大(朱文)

收藏：

北京市文物公司

著録：

《齊白石繪畫精萃》第 111 圖，秦公、少楷主編，吉林美術出版社，1994 年，長春。

79. 秋色秋聲

立軸

紙本水墨設色

116.8×41.6cm

1940 年

款題：

秋色秋聲(篆)。

庚辰。冷庵仁弟正。小兄璜贈。

印章：

木人(朱文)

收藏：

私人

著録：

《齊白石作品集・第一集・繪畫》第 122 圖，人民美術出版社，1963 年，北京。

《齊白石繪畫精品集》第 66 圖，人民美術出版社，1991 年，北京。

80. 荔枝圖

立軸

紙本水墨設色

135×34cm

1940 年

款題：

三百石印富翁。齊白石客京華第廿四年。

印章：

齊大（朱文）

收藏印：仁和沈氏曾藏（朱文）

收藏：

原藏夏衍，現藏浙江省博物館。

81. 茶花

扇面

紙本水墨設色

17×50.5cm

1940 年

款題：

冷庵仁弟正。小兄璜。庚辰。

印章：

齊大（朱文）

收藏：

私人

著録：

《齊白石繪畫精品集》第 77 圖，人民美術出版社，1991 年，北京。

82. 櫻桃、枇杷、荔枝

立軸

紙本水墨設色

100×36cm

1940 年

款題：

八十行年。齊白石作于古燕京城西。

印章：

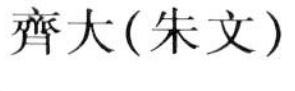

齊大（朱文）

收藏：

遼寧省博物館

著録：

《齊白石畫集》第 37 圖，遼寧省博物館編，遼寧美術出版社，1961 年，瀋陽。

《齊白石作品集・第一集・繪畫》第 138 圖，人民美術出版社，1963 年，北京。

83. 仙桃延壽

立軸

紙本水墨設色

150×66cm

1940 年

款題：

仙桃延壽（篆）。庚辰。八十老人齊白石。

印章：

齊大（朱文）

白石草衣（白文）

收藏：

中國美術館

著録：

《齊白石作品集》第 48 圖，董玉龍主編，天津人民美術出版社，1990 年，天津。

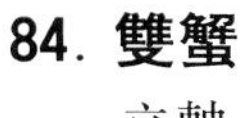

84. 雙蟹

立軸

紙本水墨

57.5×23.8cm

1940 年

款題：

八十老人白石。

印章：

齊大（朱文）

收藏：

中國美術館

85. 蘆花青蛙

立軸

紙本水墨

176×43cm

1940 年

款題：

三百石印富翁齊白石。年八十時畫于京華城西。

印章：

齊大（朱文）

收藏：

中國美術館

著録：

《齊白石作品集》第 49 圖，董玉龍主編，天津人民美術出版社，1990 年，天津。

86. 靈芝

扇面

紙本水墨設色

20×54cm

1940 年

款題：

延壽（篆）。遂初先生雅屬。庚辰。白石老人畫于京華。

印章：

齊大（白文）

收藏：

私人

著録：

《齊白石畫集》第 68 圖，嚴欣强、金岩編，外文出版社，1991 年，北京。

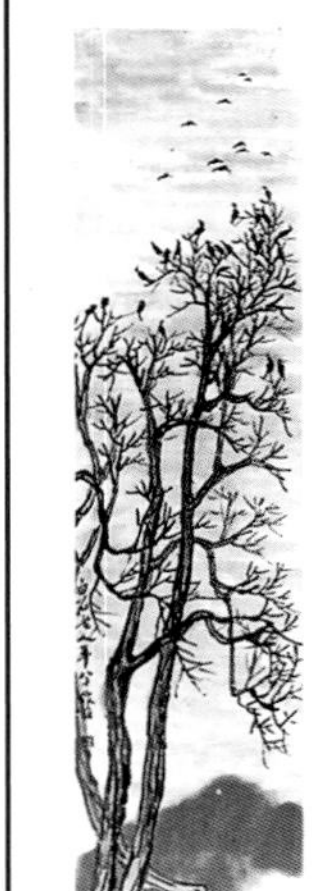

87. 暮鴉圖

立軸

紙本水墨設色

146×35cm

1940 年

款題：

白石老人年八十作。

印章：

齊大（白文） □

收藏：

私人

88. 雁來紅與蜻蜓

立軸

紙本水墨設色

68×34cm

1940 年

款題：

希商夫人清屬。庚辰冬十一月。齊寶珠贈求老夫。白石畫。

印章:

老白(白文)

白石画蟲(朱文)

收藏:

湘潭齊白石紀念館

89. 蓮蓬藕

扇面

紙本水墨設色

16×28.5cm

1940 年

款題:

予嘗見冬心翁畫蓮蓬新藕甚工整。予不願為此。予之工整者。子才弟一笑。八十老人白石。

印章:

木人(朱文)

收藏:

首都博物館

90. 春蠶桑葉

扇面

紙本水墨設色

20×30.6cm

1940 年

款題:

子才弟正畫。庚辰。齊璜。

印章:

木人(朱文)

收藏:

首都博物館

91. 白猴獻壽

立軸

紙本水墨設色

104×35cm

1940 年

款題:

庚辰八月。借山唫(吟)館主者齊璜。製于舊京華城西鐵柵屋。

印章:

齊大(朱文)

甑屋(朱文)

收藏:

梁穗

92. 達摩

扇面

紙本水墨設色

18×54cm

1940 年

款題:

白石齊璜。時年八十。

印章:

齊大(白文)

收藏:

私人

著録:

《齊白石繪畫精品集》第 65 圖,人民美術出版社,1991 年,北京。

93. 天真圖

立軸

紙本水墨設色

130×37cm

1940 年

款題:

天真(篆)。八十老人白石。

白石。

印章:

齊大(白文)

借山翁(朱文)

齊璜之印(白文)

悔烏堂(朱文)

收藏:

遼寧省博物館

著録:

《齊白石畫集》第 40 圖,遼寧省博物館編,遼寧美術出版社,1961 年,瀋陽。

94. 捧書少女

鏡片

紙本水墨設色

34.8×34cm

1941 年

款題:

臺根四歲時求九九翁畫於夜鐙(燈)。

印章:

齊大(朱文)

收藏:

天津人民美術出版社

95. 仕女

立軸

紙本水墨設色

94×33cm

1941 年

款題:

辛巳秋。九九翁白石。用舊時自造本。

印章:

木人(朱文)

齊大(朱文)

指紋(白文)

牽牛飲水圖(白文圖形印)

收藏:

北京市文物公司

著録:

《齊白石繪畫精萃》第 98 圖,秦公、少楷主編,吉林美術出版社,1994 年,長春。

96. 挖耳圖

立軸

紙本水墨設色

154×52cm

1941 年

款題:

白石九九年時之作。

印章:

齊大(白文) 九九翁(白文)

人長壽(朱文)

收藏:

原藏田家英，現藏梁穗。

97. 三壽圖

立軸

紙本水墨設色

101.4×34.2cm

1941 年

款題:

三壽圖(篆)。辛巳五月中。九九翁齊白石晨起凉暢。把筆一揮。

印章:

齊大(朱文)

收藏:

私人

著録:

《齊白石畫集》第 73 圖, 嚴欣强、金岩編, 外文出版社, 1991 年, 北京。

98. 四喜圖

立軸

紙本水墨

168×42.8cm

1941 年

款題:

大森先生之屬。此幅餘白甚多。俟白石山妻患大痊。再行添寫感謝話。辛巳春二月。白石暫記。

印章:

齊大(朱文)

收藏:

中國美術館

著録:

《齊白石作品集》第 62 圖, 董玉龍主編, 天津人民美術出版社, 1990 年, 天津。

99. 貝葉草蟲

立軸

紙本水墨設色

106.8×34.4cm

1941 年

款題:

辛巳秋月。九九翁齊白石老眼所作。于舊燕京城西鐵屋并題記。

印章:

九九翁（白文）

齊大(朱文)

牽牛飲水圖（白文圖形印)

收藏:

私人

著録:

《齊白石繪畫精品集》第 82 圖, 人民美術出版社, 1991 年, 北京。

100. 鳳仙花蜻蜓

立軸

紙本水墨設色

98.7×34.1cm

1941 年

款題:

定平先生雅屬。辛巳冬十月之初。九九翁齊白石。時居京華。

印章:

齊大(朱文)

收藏:

天津人民美術出版社

101. 鷹

立軸

紙本水墨

139×59cm

1941 年

款題:

九九翁齊白石畫藏。

毛澤東主席。庚寅十月。齊璜。

印章:

九九翁(白文)

白石(朱文)　寄萍堂(白文)

收藏:

北京中南海

著録:

《齊白石作品集・第一集・繪畫》第 142 圖, 人民美術出版社, 1963 年, 北京。

《齊白石畫集》第 119 圖, 嚴欣强、金岩編, 外文出版社, 1991 年, 北京。

102. 白猿獻壽圖

立軸

紙本水墨設色

67.5×33.2cm

1941 年

款題:

慶雯仁弟清屬。白石老人作。九九翁時畫。

印章:

齊大(朱文)

收藏:

天津人民美術出版社

103. 梨花海棠圖

扇面

紙本水墨設色

1941 年

款題:

冷庵仁弟法正。辛巳。九九翁齊璜。

一樹梨花壓海棠(篆)。白石又篆。

印章:

木人(朱文)　白石山翁(朱文)

收藏:

私人

著録:

《齊白石繪畫精品集》第 79 圖, 人民美術出版社, 1991 年, 北京。

104. 蝦蟹

立軸

紙本水墨

60×36cm

1941 年

款題:

借山老人齊白石。九九年時之作。

印章：

齊大(朱文)

收藏：

私人

著録：

《齊白石繪畫精品集》第 120 圖，人民美術出版社，1991 年，北京。

105. 行到幾時休

立軸

紙本水墨

99.5×34cm

1941 年

款題：

行到幾時休(篆)。九九翁白石。辛巳年作。

印章：

九九翁(白文)

收藏印：西安美術學院藏(朱文)

收藏：

西安美術學院

106. 簍蟹圖

立軸

紙本水墨

168×43cm

1941 年

款題：

予久不畫蟹。偶爾畫之。竟能成趣。乃心手相應也。辛巳二月。借山唫(吟)館主者。

印章：

甑屋(朱文)

收藏：

中國美術館藏

著録：

《齊白石繪畫精品選》第 43 圖，董玉龍主編，人民美術出版社，1991 年，北京。

107. 荔枝蜜蜂

扇面

紙本水墨設色

18×51cm

1941 年

款題：

能豪先生清屬。白石九九時作。

印章：

木人(朱文)

收藏：

私人

著録：

《齊白石繪畫精品集》第 78 圖，人民美術出版社，1991 年，北京。

108. 蘭花

扇面

紙本水墨

18×49cm

1941 年

款題：

坐久始聞香。為子長畫。辛巳。乃翁同客京華。

印章：

齊大(朱文)

收藏：

私人

著録：

《齊白石繪畫精品集》第 80 頁，人民美術出版社，1991 年，北京。

109. 枇杷圖

立軸

紙本水墨設色

99.3×33.2cm

1941 年

款題：

白石老人。四百九十甲子時所畫。

印章：

齊大(朱文)

收藏：

中國美術館

著録：

《齊白石繪畫精品選》第 74 圖，董玉龍主編，人民美術出版社，1991 年，北京。

110. 野草蚱蜢(草蟲花卉册之一)

册頁

紙本水墨設色

32.6×25cm

1941 年

款題：

白石老人

印章：

齊大(白文)

收藏：

私人

111. 穀穗蚱蜢(草蟲花卉册之二)

册頁

紙本水墨設色

32.6×25cm

1941 年

款題：

杏子塢老農。白石。

印章：

九九翁(白文)

收藏：

私人

112. 雜草土狗(草蟲花卉册之三)

册頁

紙本水墨設色

32.6×25cm

1941 年

款題：
　　九硯樓頭主者。
印章：
　　白石老人(白文)
收藏：
　　私人

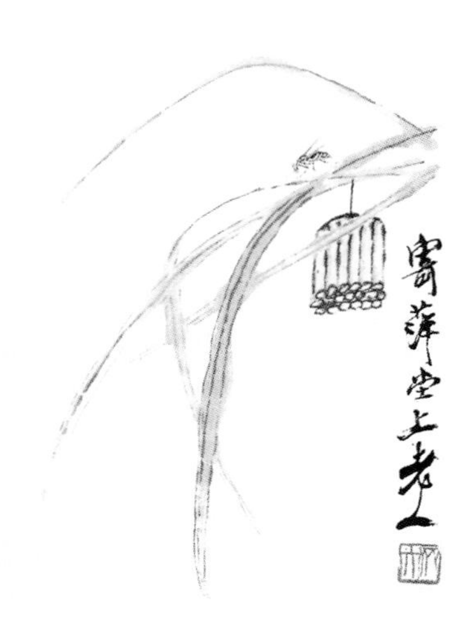

113. 茅草蜂窩(草蟲花卉册之四)
　　册頁
　　紙本水墨設色
　　32.6×25cm
　　1941 年
款題：
　　寄萍堂上老人。
印章：
　　齊大(朱文)
收藏：
　　私人

114. 雁來紅螳螂(草蟲花卉册之五)
　　册頁
　　紙本水墨設色
　　32.6×25cm
　　1941 年
款題：
　　老萍
印章：
　　九九翁(白文)
收藏：
　　私人

115. 油燈飛蛾(草蟲花卉册之六)

　　册頁
　　紙本水墨設色
　　32.6×25cm
　　1941 年
款題：
　　白石
印章：
　　齊大(朱文)
收藏：
　　私人

116. 海棠草蜢(草蟲花卉册之七)
　　册頁
　　紙本水墨設色
　　32.6×25cm
　　1941 年
款題：
　　白石
印章：
　　阿芝(朱文)
收藏：
　　私人

117. 水草游蝦(草蟲花卉册之八)
　　册頁
　　紙本水墨設色
　　32.6×25cm
　　1941 年
款題：
　　三百石印富翁老眼。
印章：
　　白石老人(白文)
收藏：

　　私人

118. 玉蘭蜜蜂(草蟲花卉册之九)
　　册頁
　　紙本水墨設色
　　32.6×25cm
　　1941 年
款題：
　　瀕生
印章：
　　木人(朱文)
收藏：
　　私人

119. 海棠蝴蝶(草蟲花卉册之十)
　　册頁
　　紙本水墨設色
　　32.6×25cm
　　1941 年
款題：
　　白石山翁

印章：

木人(朱文)

收藏：

私人

120. 葡萄老鼠

立軸

紙本水墨設色

67×33.5cm

1941 年

款題：

九九翁家人多吉見之於筆墨間也。白石。

印章：

九九翁(白文)

白石翁(白文)

收藏：

私人

著録：

《齊白石畫集》第 29 圖，嚴欣强、金岩編，外文出版社，1991 年，北京。

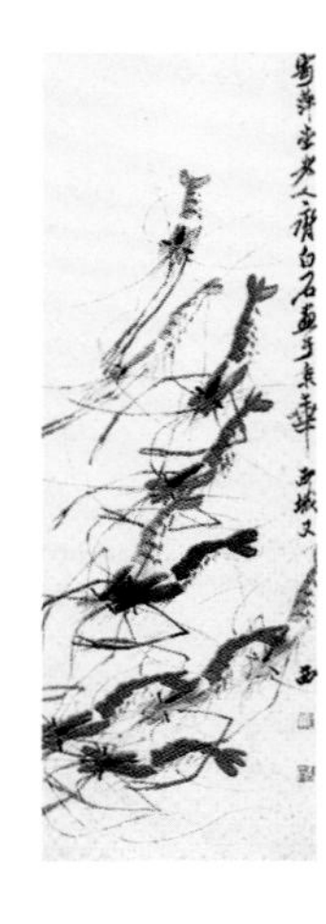

121. 蝦

立軸

紙本水墨

101.5×34.5cm

1941 年

款題：

寄萍堂老人齊白石。畫于京華西城又西。

印章：

九九翁（白文）

白石(白文)

收藏：

吴作人

122. 九秋圖

立軸

紙本水墨設色

130×60cm

1941 年

款題：

冷盦(庵)兄雅屬。小弟齊璜。辛巳。

印章：

齊大(朱文)

收藏：

私人

著録：

《齊白石繪畫精品集》第 83 圖，人民美術出版社，1991 年，北京。

123. 歲朝圖

立軸

紙本水墨設色

99×33.5cm

1941 年

款題：

歲朝圖(篆)。

四百九十八甲子白石老人。

印章：

白石草衣(白文)

收藏：

北京市文物公司

著録：

《翰海 '95 春季拍賣會・中國書畫》第 13 號，1995 年，北京。

124. 紅蓼螻蛄(草蟲花卉册之一)

册頁

紙本水墨設色

29×22.5cm

1941 年

款題：

齊大

印章：

木人(朱文)

收藏：

中國美術館

著録：

《翰海 '95 春季拍賣會・中國書畫》第 51 號，1995 年，北京。

125. 茘枝蟲蛾(草蟲花卉册之二)

册頁

紙本水墨設色

29×22.5cm

1941 年

款題：

瀕生

印章：

九九翁(白文)

收藏：

中國美術館

著録：

《齊白石作品集》第 50 圖，董玉龍主編，天津人民美術出版社，1990 年，天津。

126. 黄花蟈蟈(草蟲花卉册之三)

册頁

紙本水墨設色

29×22.5cm

1941 年

款題：

老萍

印章：

齊大(朱文)

收藏：

中國美術館

著録：

《齊白石作品集》第 53 圖，董玉龍主編，天津人民美術出版社，1990 年，天津。

127. 老少年蝴蝶(草蟲花卉册之四)

冊頁
紙本水墨設色
29×22.5cm
1941 年
款題：
三百石印富翁
印章：
木人(朱文)
收藏：
中國美術館
著録：
《齊白石作品集》第 54 圖，董玉龍主編，天津人民美術出版社，1990 年，天津。

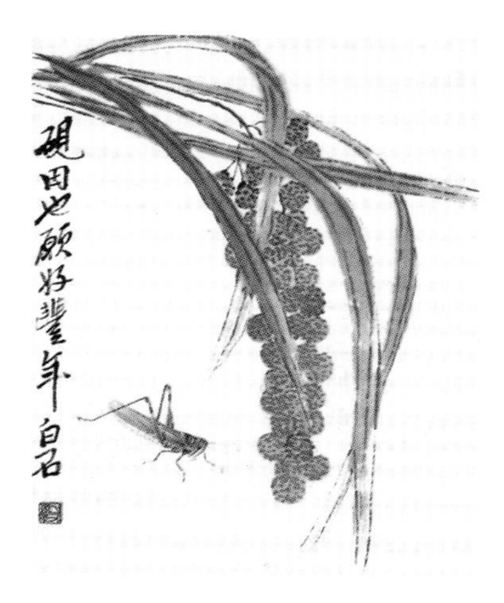

128. 穀穗螞蚱(草蟲花卉册之五)
冊頁
紙本水墨設色
29×22.5cm
1941 年
款題：
硯田也願好豐年。白石。
印章：
阿芝(朱文)
收藏：
中國美術館
著録：
《齊白石作品集》第 57 圖，董玉龍主編，天津人民美術出版社，1990 年，天津。

129. 鹹蛋蟑螂(草蟲花卉册之六)
冊頁
紙本水墨設色
29×22.5cm
1941 年
款題：
白石老人作。
印章：
齊大(白文)　老白(白文)
收藏：
中國美術館
著録：
《齊白石作品集》第 56 圖，董玉龍主編，天津人民美術出版社，1990 年，天津。

130. 花卉蜻蜓(草蟲花卉册之七)
冊頁
紙本水墨設色
29×22.5cm
1941 年
款題：
杏子隖老民白石。
印章：
白石老人(白文)
收藏：
中國美術館
著録：
《齊白石作品集》第 52 圖，董玉龍主編，天津人民美術出版社，1990 年，天津。

131. 水草昆蟲(草蟲花卉册之八)
冊頁
紙本水墨設色
29×22.5cm
1941 年
款題：
借山老人。
此册八開。其中一開有九九翁之印。乃予八十一歲時作也。今公度先生得之於廠肆。白石之畫從來被無賴子

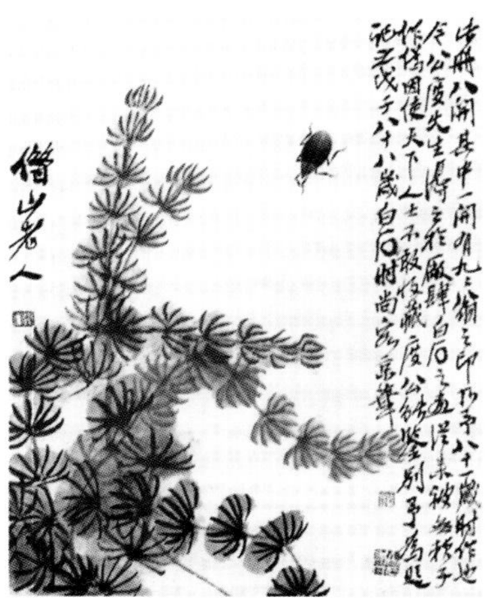

作偽。因使天下人士不敢收藏。度公能鉴别。予為題記之。戊子。八十八歲白石。時尚客京華。
印章：
木人(朱文)　恨翁(朱文)
白石老人(白文)
收藏：
中國美術館
著録：
《齊白石作品集》第 55 圖，董玉龍主編，天津人民美術出版社，1990 年，天津。

132. 白菜蘿蔔小鷄
立軸
紙本水墨設色
56×42cm
1941 年
款題：
辛巳年。八十一老人齊白石老人畫于京華。
印章：
齊大(朱文)
收藏印：霍宗傑精選齊白石書畫之印(朱文)
收藏：
霍宗傑
著録：
《齊白石畫海外藏珍》第 141 圖，王大山主編，榮寶齋(香港)有限公司，1994 年，香港。

133. 玉簪花

立軸

紙本水墨設色

101×34cm

1941 年

款題：

三百石印富翁齊白石。九九之年。

印章：

齊大(朱文)

齊璜老手(白文)

收藏：

霍宗傑

著録：

《齊白石畫海外藏珍》第 63 圖，王大山主編，榮寶齋（香港）有限公司，1994 年，香港。

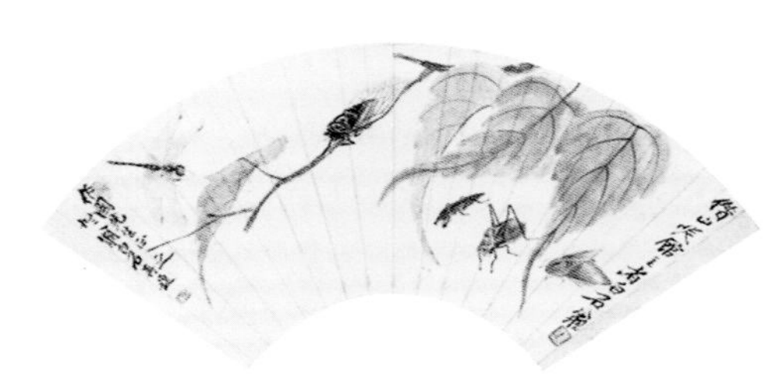

134. 貝葉草蟲

扇面

紙本水墨設色

18×52cm

1941 年

款題：

借山吟館主者白石翁。

作國先生正之。九九翁白石再題。

印章：

白石山翁(朱文)　木人(朱文)

收藏印：作國(朱文)

收藏：

上海朵霍軒

135. 菊花蟋蟀

立軸

紙本水墨設色

216.5×56.5cm

1942 年

款題：

三百石印富翁。齊白石作。九九翁第二年畫。

印章：

齊大(朱文)

收藏：

北京故宮博物院

136. 長年長壽圖

立軸

紙本水墨設色

97.5×40.5cm

1942 年

款題：

長年長壽(篆)。子才仁弟清正。壬午元月。小兄齊璜。年八十二。

印章：

齊大 (朱文)

人長壽(朱文)

收藏：

首都博物館

137. 貝葉草蟲

立軸

紙本水墨設色

110×50.5cm

1942 年

款題：

壬午春日。白石老人時年八十二矣。

印章：

齊大(朱文)

收藏：

北京市文物公司

著録：

《翰海’95 春季拍賣會・中國書畫》第 155 號，1995 年，北京。

138. 枇杷

立軸

紙本水墨設色

98.2×32.8cm

1942 年

款題：

白石老人齊璜。

印章：

吾年八十二矣(白文)

收藏：

中國美術館

139. 杯蘭圖

册頁

紙本水墨

28.5×17cm

1942 年

款題：

壬午春。天日和暖。望兒輩遠來視我。白石老人。

印章：

木人(朱文)

收藏：

北京榮寶齋

140. 可惜無聲(花草工蟲册)

册頁

紙本水墨

31.5×25.5cm

1942 年

款題：

可惜無聲(篆)。壬午春。

花草工蟲册。白石自題。

印章：

悔烏堂(朱文)　白石題跋(白文)

收藏：

私人

141. 梅花蝴蝶(花草工蟲册之一)

冊頁
紙本水墨設色
31.5×25.5cm
1942 年
款題：
瑞林
印章：
白石老人(白文)
收藏：
私人

142. 黃花蚱蜢(花草工蟲冊之二)
冊頁
紙本水墨設色
31.5×25.5cm
1942 年
款題：
阿芝
印章：
老白(白文)
收藏：
私人

143. 蘭草蚱蜢(花草工蟲冊之三)
冊頁
紙本水墨設色
31.5×25.5cm
1942 年
款題：
瀕生
印章：
齊大(白文)
收藏：
私人

144. 楓葉螳螂(花草工蟲冊之四)
冊頁
紙本水墨設色
31.5×25.5cm
1942 年
款題：
秋色佳。白石。
印章：
木人(朱文)
收藏：
私人

145. 稻穗螞蚱(花草工蟲冊之五)
冊頁
紙本水墨設色
31.5×25.5cm
1942 年
款題：
白石
印章：
木人(朱文)
收藏：
私人

146. 貝葉蝗蟲(花草工蟲冊之六)
冊頁
紙本水墨設色
31.5×25.5cm
1942 年
款題：
璜也。
印章：
木人(朱文)
收藏：
私人

147. 雁來紅蝴蝶(花草工蟲冊之七)
冊頁
紙本水墨設色
31.5×25.5cm
1942 年
款題：
齊大
印章：
木人(朱文)
收藏：
私人

148. 玉蘭蜜蜂(花草工蟲冊之八)
冊頁
紙本水墨設色
31.5×25.5cm
1942 年
款題：

白石
印章：
阿芝(朱文)
收藏：
私人

149. 蘿蔔昆蟲(花草工蟲册之九)
册頁
紙本水墨設色
31.5×25.5cm
1942 年
款題：
瀕生
印章：
齊大(白文)
收藏：
私人

150. 牽牛花蝴蝶(花草工蟲册之十)
册頁
紙本水墨設色
31.5×25.5cm
1942 年
款題：
白石
印章：
白石老人(白文)
收藏：
私人

151. 蝴蝶蘭飛蛾(花草工蟲册之十一)
册頁
紙本水墨設色
31.5×25.5cm
1942 年
款題：
星塘老屋。阿芝。
印章：
齊大(白文)
收藏：
私人

152. 荷花蜻蜓(花草工蟲册之十二)
册頁
紙本水墨設色
31.5×25.5cm
1942 年
款題：
老萍翁
印章：
阿芝(朱文)
收藏：
私人

153. 延年益壽
立軸
紙本水墨設色
99×50.5cm
1942 年
款題：
延年益壽(篆)。申甫仁先生大人雅屬。八十二歲白石齊璜。
印章：
齊大(朱文)
吾年八十二矣(白文)
人長壽(朱文)
收藏：
北京市文物公司
著録：
《齊白石繪畫精萃》第 116 圖，秦公、少楷主編，吉林美術出版社，1994年，長春。

154. 紫藤蜜蜂
立軸
紙本水墨設色
132×32.5cm
1942 年
款題：
省三先生雅屬。壬午秋。白石齊璜。
印章：
齊璜(白文)
收藏：
私人
著録：
《齊白石畫集》第 74 圖，嚴欣强、金岩編，外文出版社，1991 年，北京。

155. 藤蘿
立軸
紙本水墨設色
110×38cm
1942 年
款題：
白石
印章：
指紋印 (白文)
吾年八十二矣(白文)
收藏：
陝西美術家協會

156. 補裂圖

立軸

紙本水墨設色

68×40cm

1942 年

款題：

補裂圖(篆)。步履相趨上酒樓。六街鐙(燈)火夕陽收。歸來未醉閒(閑)情在。為畫叟家補裂圖。

前四年之詩。今日始作此圖。第四句圖字本初字。

少懷仁弟兩屬。八十二歲齊璜。

印章：

白石老人(白文)　人長壽(朱文)

收藏：

私人

著録：

《齊白石繪畫精品集》第 84 圖，人民美術出版社，1991 年，北京。

157. 仕女

冊頁

紙本水墨設色

28×15cm

1943 年

款題：

白石老人示兒女。年八十三。

印章：

木人(朱文)

收藏：

齊良遲

158. 大福

立軸

紙本水墨設色

67.5×33.5cm

1943 年

款題：

大福(篆)。三百石印富翁。

印章：

老手齊白石(白文)

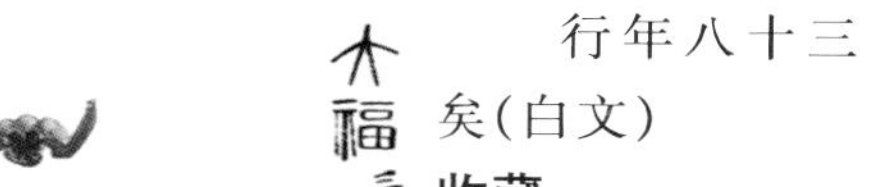

行年八十三矣(白文)

收藏：

北京市文物公司

著録：

《齊白石繪畫精萃》第 119 圖，秦公、少楷主編，吉林美術出版社，1994 年，長春。

159. 菊酒圖

立軸

紙本水墨設色

102×34cm

1943 年

款題：

菊酒(篆)。寄萍堂上老人白石。五百零二甲子時作。

慕唐先生正。

印章：

齊大(朱文)

收藏：

天津楊柳青書畫社

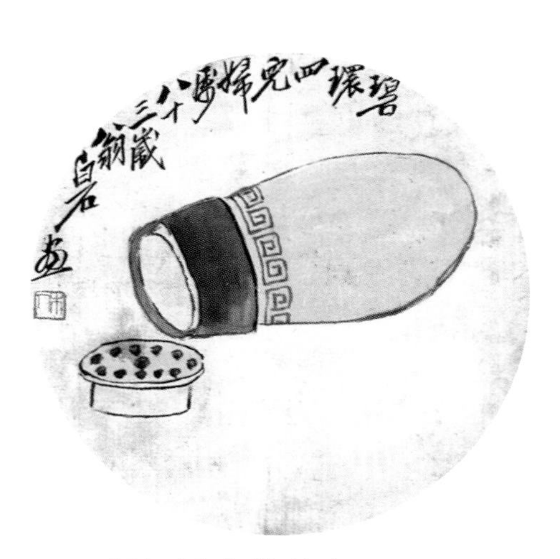

160. 蟈蟈已去葫蘆空

團扇

絹本水墨設色

直徑 24cm

1943 年

款題：

碧環四兒婦屬。

八十三歲翁白石畫。

印章：

木人(朱文)

收藏：

齊良遲

161. 桃·藕·葡萄

立軸

紙本水墨設色

102×34cm

1943 年

款題：

誦昭女弟四時八節無間視余。余感其重師若是。今歲癸未中秋日畫此為報。并上三千年之桃實為壽。八十三歲齊璜白石并記。

印章：

行年八十三矣(白文)

人長壽(朱文)

收藏：

北京市文物公司

著録：

《齊白石作品精萃》第 123 圖，秦公、少楷主編，吉林美術出版社，1994 年，長春。

162. 蘭花

鏡片

紙本水墨

33×35.5cm

1943 年

款題：

坐久始聞其香。癸未八月。曉初弟玩味。白石老人時居京華。

印章：

齊大(朱文)

收藏：

北京榮寶齋

163. 眉壽堅固

立軸

紙本水墨設色

100×33cm

1943 年

款題：

眉壽堅固(篆)。白石并篆四字。

蔭庭先生六秩榮慶。癸未。八十三歲齊璜。

他人題記：

名壓年芳。倚竹根新影。獨照清漪。千年禹蘚朵碧。重發南枝。冰凝素質。遣凡桃。羞濯塵姿。寒正峭。東風似海。香浮夜雪春霏。練鵲錦袍仙使。有青娥傳夢。月轉參移。逋仙傍鶯繫馬，玉剪新辭。宝妝鏡裏，笑人間。花訊都遲。春未了。紅鹽薦鼎。江南梅雨黃時，漢宮春。壽梅津。槐省紅塵晝静。午朝回。吟生晚興。春霖繡(绣)筆。鶯邊清曉。金狨旋整。此亦壽梅津句也。吴文英。

蔭庭先生六十壽。昭陽協洽之歲。壽鉨。

他人印：壽(朱文)　鉨(白文)。

印章：

白石山翁(朱文)　木人(朱文)

人長壽(朱文)

收藏：

北京市文物公司

著録：

《齊白石繪畫精萃》第126圖，秦公、少楷主編，吉林美術出版社，1994年，長春。

注釋：

昭陽：即癸年。《淮南子・天文》"子在歲曰昭陽。"協洽：地支"未"的別名。《爾雅・釋天》："太歲在未曰協洽。"昭陽協洽即癸未年。

吴文英(約1212—1272)宋代詞人。

壽鉨(1889－1950)，字石工，號印匄，浙江紹興人。久寓北京，著名篆刻家，尤工小鉨，能詞，有《玉庵詞》行世。與齊白石有交往，曾任北平藝專教授。

164. 魚蝦

立軸

紙本水墨

102.5×33.5cm

1943年

款題：

三百石印富翁齊白石居京華第廿又七年。

印章：

行年八十三矣(白文)

收藏：

北京市文物公司

著録：

《齊白石繪畫精萃》第122圖，秦公、少楷主編，吉林美術出版社，1994年，長春。

165. 蜻蜓戲水圖

立軸

紙本水墨設色

107×40.5cm

1943年

款題：

白石畫蜻蜓二。

印章：

行年八十三矣(白文)

收藏：

北京市文物公司

著録：

《翰海'95春季拍賣會・中國書畫》第79號，1995年，北京。

166. 玉蘭

立軸

紙本水墨設色

100×33.5cm

1943年

款題：

純青先生雅屬。白石八十三歲。癸未。

印章：

白石翁(白文)

收藏：

上海市文物商店

167. 眼看五世圖

扇面

紙本水墨設色

18×49cm

1943年

款題：

眼看五世(篆)。白石老人八十三歲時畫。

癸未(篆)。白石又篆。

印章：

白石老人(白文)　木人(朱文)

收藏：

天津人民美術出版社

168. 枇杷

扇面

紙本水墨設色

20×56cm

1943年

款題：

此便面為一面。為予良友夏午貽(詒)所書。予感而畫之。八十三歲白石。

印章：

齊大(朱文)

收藏：

天津人民美術出版社

169. 放舟圖

立軸

紙本水墨設色

107×43.5cm

1943年

款題：

癸未春正月第五日。白石老人。

森森萬木雨初收。平地成波好放舟。招得撑篙(篙)好水手。呼朋隨意看山游。白石山翁又題廿八字。

印章：

木人(朱文)　白石老人(白文)

行年八十三矣(白文)

收藏：

天津人民美術出版社

170. 架豆

立軸

紙本水墨

68×34cm

約40年代初期

款題：

籬豆花開。白石老人畫于京華。

印章：

白石翁(朱文)

收藏：

首都博物館

171. 無量壽佛

立軸

紙本水墨設色

136×34cm

約40年代初期

款題：

無量壽佛（篆）。静雲仁兄先生供奉。齊璜造于舊京華。

印章：

齊大（朱文）

收藏：

葉伯生

172. 玉蘭

立軸

紙本水墨設色

100.5×34cm

約 40 年代初期

款題：

寄萍堂上老人齊白石居京華。

印章：

齊大（朱文）

收藏印：夏同浩（白文）

收藏：

江蘇省美術館

173. 九秋圖

横幅

紙本水墨設色

91×240cm

約 40 年代初期

款題：

八硯樓頭久别人。白石製。

印章：

齊大（朱文）　齊璜（白文）

甑屋（朱文）　人長壽（朱文）

夢想芙蓉路八千（朱文）

悔烏堂（朱文）

收藏：

琉璃廠豹文齋原藏，現藏炎黄藝術館藝術中心。

174. 紅梅

册頁

紙本水墨設色

24×15cm

約 40 年代初期

款題：

白石

印章：

木人（朱文）

收藏：

北京榮寶齋

175. 雙鵝

鏡片

紙本水墨

26×15cm

約 40 年代初期

款題：

白石老人戲示兒輩良遲。

印章：

齊大（白文）

收藏：

齊良遲

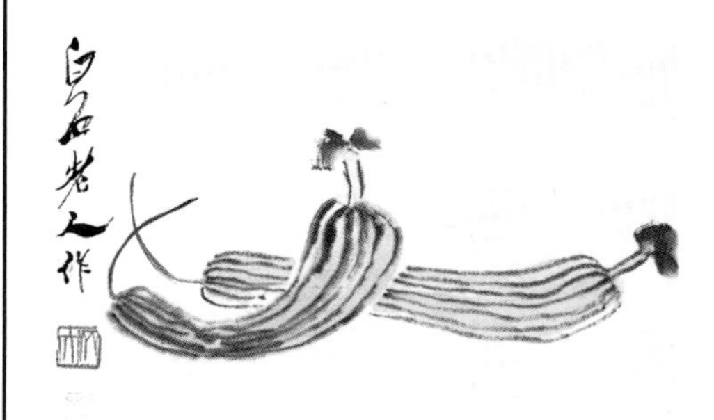

176. 絲瓜

鏡片

紙本水墨設色

24×34cm

約 40 年代初期

款題：

白石老人作。

印章：

齊大（朱文）

收藏印：霍宗傑藏（朱文）

收藏：

霍宗傑

著録：

《齊白石畫海外藏珍》第 129 圖，王大山主編，榮寶齋（香港）有限公司，1994 年，香港。

177. 翠柳鳴蟬

鏡片

紙本水墨設色

36.5×26.5cm

約 40 年代初期

款題：

三百石印富翁

印章：

木人（朱文）

收藏：

北京榮寶齋

178. 荷葉蜻蜓

扇面

紙本水墨設色

18×55cm

約 40 年代初期

款題：

白石

印章：

木人（朱文）

收藏：

天津人民美術出版社

179. 蟹酒催飲圖

立軸

紙本水墨設色

69.5×34cm

約40年代初期

款題：

詩未名家莫苦思。

十錢沽酒不須辭。

況復盤中還有蟹。

人生不飲須何時。

白石并新句。

印章：

齊大(朱文)

收藏：

北京市文物公司

著録：

《齊白石繪畫精萃》第68圖，秦公、少楷主編，吉林美術出版社，1994年，長春。

180. 枇杷(花果册之一)

册頁

紙本水墨設色

34×38.5cm

約40年代初期

款題：

白石

印章：

白石(朱文)

收藏：

中央美術學院

181. 荔枝(花果册之二)

册頁

紙本水墨設色

34×38.5cm

約40年代初期

款題：

白石老人

印章：

齊大(朱文)

收藏：

中央美術學院

182. 荔枝蜜蜂(花果草蟲册之一)

册頁

紙本水墨設色

35×34cm

約40年代初期

款題：

三百石印富翁齊白石。

印章：

齊大(朱文)

收藏：

天津人民美術出版社

183. 葡萄螳螂(花果草蟲册之二)

册頁

紙本水墨設色

35×34cm

約40年代初期

款題：

借山老人一日晨興。

印章：

齊大(朱文)

收藏：

天津人民美術出版社

184. 蝴蝶蘭雙蝶

扇面

紙本水墨設色

20×53.6cm

約40年代初期

款題：

寄萍堂上老人白石。

印章：

木人(朱文)

收藏：

私人

著録：

《齊白石繪畫精品集》第81圖，人民美術出版社，1991年，北京。

185. 貝葉鳴蟬

扇面

紙本水墨設色

26×55.5cm

約40年代初期

款題：

白石

印章：

木人(朱文)

收藏：

北京榮寶齋

186. 事事如意

扇面

紙本水墨設色

26×56cm

約 40 年代初期

款題：

事事如意(篆)。白石。

印章：

齊大(白文)

收藏：

北京榮寶齋

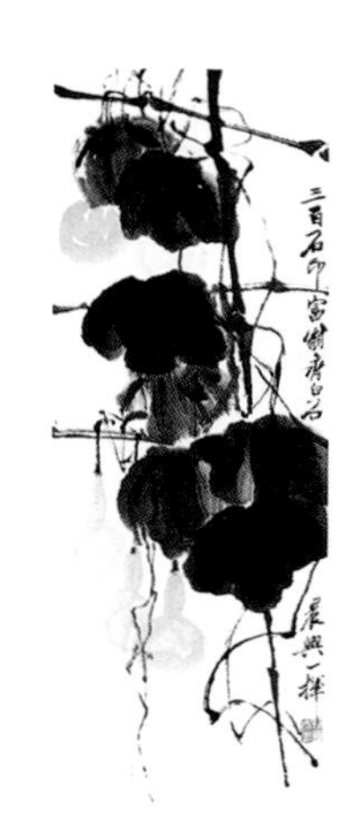

187. 葫蘆

立軸

紙本水墨設色

100×34cm

約 40 年代初期

款題：

三百石印富翁齊白石。晨興一揮。

印章：

齊璜老手(白文)

收藏：

上海美術家協會

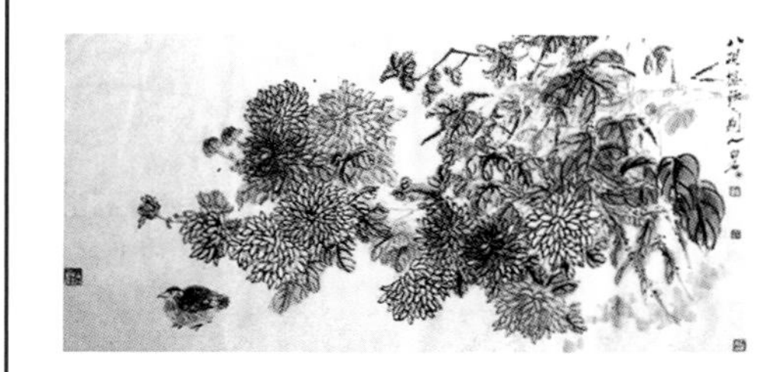

188. 菊花雁來紅

橫幅

紙本水墨設色

86×155cm

約 40 年代初期

款題：

八硯樓頭久別人。白石。

印章：

齊大(朱文)　白石翁(朱文)

甑屋(朱文)

夢想芙蓉路八千(朱文)

人長壽(朱文)

收藏：

炎黃藝術館藝術中心

189. 柳葉雙蟬

册頁

紙本水墨設色

33.2×26.2cm

約 40 年代初期

款題：

老萍

印章：

齊大(白文)

收藏：

中國美術館

190. 事事有餘

扇面

紙本水墨設色

19×53.2cm

約 40 年代初期

款題：

事事有餘(篆)。白石老人。

印章：

齊大(朱文)

收藏：

天津人民美術出版社

191. 桂花雙兔圖

立軸

紙本水墨設色

101×34.4cm

約 40 年代初期

款題：

白石齊璜畫意。

印章：

齊大(朱文)

收藏：

天津人民美術出版社

192. 蝦

立軸

紙本水墨

69.5×33cm

約 40 年代初期

款題：

曉溪先生雅屬。白石老人畫于京華。

印章：

齊大(朱文)

收藏：

中央美術學院

193. 玉堂富貴

立軸

紙本水墨設色

125×53cm

約 40 年代初期

款題：

寄萍堂上老人齊璜。

橐也世姪弟子藏玩。辛卯。九十一歲白石老人又題。

印章：

白石翁(白文)　白石(朱文)

收藏：

私人

著録：

《齊白石畫集》第 31 圖，嚴欣强、金岩編，外文出版社，1991 年，北京。

《齊白石繪畫精品集》第 37 圖，人民美術出版社，1991 年，北京。

194. 籬菊蜜蜂

立軸

紙本水墨設色

105×36cm

約 40 年代初期

款題：

白石老人作于京華。

印章：

木人(朱文)

收藏：

北京市文物公司

著録：

《齊白石繪畫精萃》第 187 圖，秦公、少楷主編，吉林美術出版社，1994 年，長春。

195. 加官多子圖

立軸

紙本水墨設色

115×52cm
約 40 年代初期
款題:
加官多子(篆)。白石老人畫此幅時。已凉未寒天氣也。
印章:
齊大(朱文)
收藏:
北京市文物公司
著録:
《齊白石繪畫精萃》第 206 圖,秦公、少楷主編,吉林美術出版社,1994 年,長春。

196. 雨後
立軸
紙本水墨
137×61.5cm
約 40 年代初期
款題:
雨後(篆)。
安居花草要商量。
可肯移根傍短牆。
心静閒(閑)看物亦静。
芭蕉過雨緑生凉。
白石老人自謂畫工不乃(如)詩工。
印章:
齊大(朱文)
收藏:
天津藝術博物館
著録:
《齊白石繪畫精品選》第 15 圖,董玉龍主編,人民美術出版社,1991 年,北京。
附注:“乃”字應為“如”之誤。

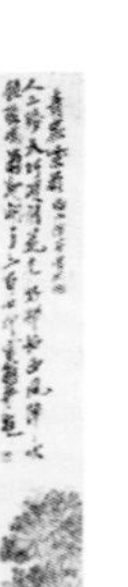

197. 菊花
立軸
紙本水墨設色
137×14cm
約 40 年代初期
款題:
青蟲紫菊。借山館曾有之物。
人工勝天巧。頃刻花光好。那(哪)怕西風陣陣吹。候蛩鳴菊也開了。三百石印富翁并題。
印章:
齊大(朱文)
收藏:
陝西美術家協會

198. 何以不行
鏡片
紙本水墨設色
28.5×17cm
約 40 年代初期
款題:
何以不行。白石。
印章:
齊大(白文)
收藏:
北京榮寶齋

199. 嚶鳴求友圖
立軸
紙本水墨設色
98.5×33.5cm
約 40 年代初期
款題:
白石老人齊璜。
印章:
齊大(朱文)
收藏:
中國美術館

200. 紫藤
立軸
紙本水墨設色
105×33.5cm
約 40 年代初期
款題:
斜陽移影青蛇動。
高架摇風紫雪飛。
越界牛羊趕歸去。
園林土在再栽培。
正畫此幅時得家書。言家園藤蘿与壕園皆無跡(迹)矣。即得廿八字答之。白石。
印章:
老白(白文)　窮後能詩(朱文)
收藏印:篤周所藏(朱文)
收藏:
江蘇省美術館

201. 紅蓼墨蝦
扇面
紙本水墨設色
18×50.2cm
約 40 年代初期
款題:
雨蒼先生清屬。白石山翁。
印章:
阿芝(朱文)
收藏:
天津人民美術出版社

202. 雛鷄覓食
立軸
紙本水墨設色
47×33cm
約 40 年代初期
款題:
菊兒屬。白石山翁。
印章:
木居士(白文)
收藏:
遼寧省博物館
著録:
《齊白石畫集》,遼寧省博物館編,遼寧美術出版社,1961 年,瀋陽。

203. 螃蟹
立軸
紙本水墨設色
133×33cm
約 40 年代初期
款題:
前人畫蟹無多人。縱有畫者皆用墨色。余於墨筆間用青色間畫之。覺不見惡習。借山吟館主者齊璜并記。

印章：

木人(朱文)

白石翁(白文)

收藏：

北京畫院

204. 九秋圖

立軸

紙本水墨設色

104×34cm

約 40 年代初期

款題：

九秋圖(篆)。

白石老人。

印章：

齊大(朱文)

收藏：

遼寧省博物館

著録：

《齊白石畫集》第 38 圖，遼寧省博物館編，遼寧美術出版社，1961 年，瀋陽。

205. 白菜蘿蔔

扇面

紙本水墨設色

18×49.5cm

約 40 年代初期

款題：

三百石印富翁白石。

印章：

木人(朱文)

收藏：

天津人民美術出版社

206. 芋葉小鷄

立軸

紙本水墨

168×42.9cm

約 40 年代初期

款題：

寄萍老人畫六尺大幅。十又二昏(紙)。得者何幸。白石。

印章：

木人(朱文)

收藏：

中國美術館

著録：

《齊白石繪畫精品選》第 23 圖，董玉龍主編，人民美術出版社，1991 年，北京。

207. 紅葉鳴蟬

鏡片

紙本水墨設色

34.5×23.5cm

約 40 年代初期

款題：

星塘老屋後人白石畫。

印章：

齊大(白文)

收藏：

北京榮寶齋

208. 雁來紅

立軸

紙本水墨設色

100×33cm

約 40 年代初期

款題：

借山老人齊白石。閏四月來老天雨粟。高興作畫。

印章：

白石翁(朱文)

收藏：

上海美術家協會

209. 蝴蝶蘭蚱蜢

扇面

紙本水墨設色

19×54.5cm

約 40 年代初期

款題：

白石老人。璜。

印章：

木人(朱文)

收藏：

私人

著録：

《齊白石繪畫精品集》第 76 圖，人民美術出版社，1991 年，北京。

210. 三秋圖

横幅

紙本水墨設色

34×135cm

約 40 年代初期

款題：

三百石印富翁白石。

印章：

齊大(朱文)

收藏：

霍宗傑

著録：

《齊白石畫海外藏珍》第 62 圖，王大山主編，榮寶齋（香港）有限公司，1994 年，香港。

211. 水草魚蟹

（局部）

212. 水草魚蟹

立軸

紙本水墨

140×34cm

約 40 年代初期

款題：

寄萍堂上老人畫于心寬氣和時候。可見之于魚蟹。

印章：

齊大（朱文）

游于藝（白文）

收藏：

私人

著録：

《齊白石繪畫精品集》第 68 圖，人民美術出版社，1991 年，北京。

213. 我最知魚

立軸

紙本水墨

102×34cm

約 40 年代初期

款題：

予少時作慣之事。故能知魚。寄萍老人齊白石製。

我最知魚（篆）。八十八歲重見此幅。加題四篆字。

印章：

齊大（朱文）　白石題跋（白文）

收藏：

北京市文物公司

著録：

《齊白石繪畫精萃》第 112 圖，秦公、少楷主編，吉林美術出版社，1994 年，長春。

214. 群魚圖

立軸

紙本水墨

100×34cm

約 40 年代初期

款題：

耀山先生雅屬。

已凉天氣未寒時點鐙（燈）作畫。

白石老人齊璜。

印章：

齊大（朱文）

收藏：

中央工藝美術學院

215. 群蝦圖

立軸

紙本水墨

100.5×34.2cm

約 40 年代初期

款題：

諺云。凡動物有一體似龍者。可以為龍。鰕（蝦）頭似龍。可為龍耶。白石。

印章：

齊大（朱文）

收藏印：盧光照藏（朱文）

收藏：

盧光照

著録：

《齊白石繪畫精品集》第 62 圖，人民美術出版社，1991 年，北京。

216. 魚蝦同樂

立軸

紙本水墨

98×41cm

約 40 年代初期

款題：

借山老人齊璜。喜北地天氣晴和。晨興揮毫。

印章：

齊大（朱文）

收藏：

私人

著録：

《齊白石畫海外藏珍》第 51 圖，王大山主編，榮寶齋（香港）有限公司，1994 年，香港。

217. 白頸烏鴉

橫幅

紙本水墨

45.5×173.5cm

約 40 年代初期

款題：

杏子塢老民

印章：

齊大（朱文）

收藏：

中國美術館

218. 荷趣

立軸

紙本水墨設色

68×35cm

約 40 年代初期

款題：

齊白石

印章：

齊大（朱文）

收藏：

私人

著録：

《齊白石畫海外藏珍》第 197 圖，王大山主編，榮寶齋（香港）有限公司，1994 年，香港。

219. 益壽紫芝

立軸

紙本水墨設色

66.2×37cm

約 40 年代初期

款題：

益壽紫芝（篆）。白石畫并篆四字。

百煉弟屬。齊璜。

印章：

老齊（朱文）　齊大（朱文）

收藏：

楊永德

著録：

《楊永德藏齊白石書畫》，中國嘉德 '95 秋季拍賣會圖録第 311 號，1995 年，北京。

220. 菖蒲草蟲

立軸

紙本水墨設色

77×19.3cm

約 40 年代初期

款題：

太息家鄉久孤負。鐵蘆塘尾菖蒲香。白石老人。

印章：

齊大（白文）

老白（白文）

收藏：

香港蘇富比拍賣行

221. 牽牛花蜻蜓

立軸

紙本水墨設色

113×52cm

約 40 年代初期

款題：

寄萍老人齊白石製。時居燕京。

印章：

白石翁（朱文）

借山翁（朱文）

人長壽（朱文）

馬上斜陽城下花（白文）

收藏：

私人

著録：

《齊白石畫集》第 58 圖，嚴欣强、金岩編，外文出版社，1991 年，北京。

222. 綠天春雨

立軸

紙本水墨

147×38.5cm

約 40 年代初期

款題：

綠天春雨（篆）。寄萍堂上老人一日畫蕉之餘興。猶畫此幅。較前幅稍工。

印章：

白石翁（白文）

收藏：

湘潭齊白石紀念館

223. 芭蕉

立軸

紙本水墨

255×66.2cm

約 40 年代初期

款題：

安居花草要商量。

可肯移根傍短牆。

心静閒（閑）看物亦静。

芭蕉過雨綠生涼。

白石。

印章：

白石（朱文）

收藏：

中國美術館

著録：

《齊白石作品集》第 68 圖，董玉龍主編，天津人民美術出版社，1990 年，天津。

224. 柳枝雙鴨圖

横幅

紙本水墨設色

45.4×172.8cm

約 40 年代初期

款題：

借山唫（吟）館主者作。

印章：

齊大（朱文）

收藏：

中國美術館

225. 白猴獻壽

立軸

紙本水墨設色

94×36cm

約 40 年代初期

款題：

寄萍堂上老人齊璜畫于北京城西。

印章：

齊大（朱文）

收藏：

私人

著録：

《齊白石畫海外藏珍》第 65 圖，王大山主編，榮寶齋（香港）有限公司，1994 年，香港。

226. 寒夜客來茶當酒

立軸

紙本水墨設色

129×37.5cm

約 40 年代初期

款題：

寒夜客來茶當酒（篆）。用昔人詩句作畫。白石山翁客燕京。

印章：

木人（朱文）

白石翁（白文）

收藏：

北京畫院

著録：

《齊白石畫集》第 45 圖，嚴欣强、金岩編，外文出版社，1991 年，北京。

《齊白石繪畫精品選》第 51 圖，董玉龍主編，人民美術出版社，1991 年，北京。

227. 壽桃

立軸

紙本水墨設色

180×48.3cm

約 40 年代初期

款題：

花實各三千年（篆）。寄萍堂上老人齊璜。心安氣和時一揮而成。

印章：

白石（白文）

木人（朱文）

收藏：

北京畫院

著録：

《齊白石繪畫精品選》第 45 圖，董玉龍主編，人民美術出版社，1991 年，北京。

228. 南瓜蝗蟲

立軸

紙本水墨設色

101×33cm

約 40 年代初期

款題：

三百石印富翁齊白石。新作赭石試用。

印章：

白石（朱文）

收藏：

北京市文物公司

著録：

《齊白石繪畫精萃》第 193 圖，秦公、少楷主編，吉林美術出版社，1994 年，長春。

229. 櫻桃（水果册之一）

册頁

紙本水墨設色

10.2×15.9cm

約 40 年代初期

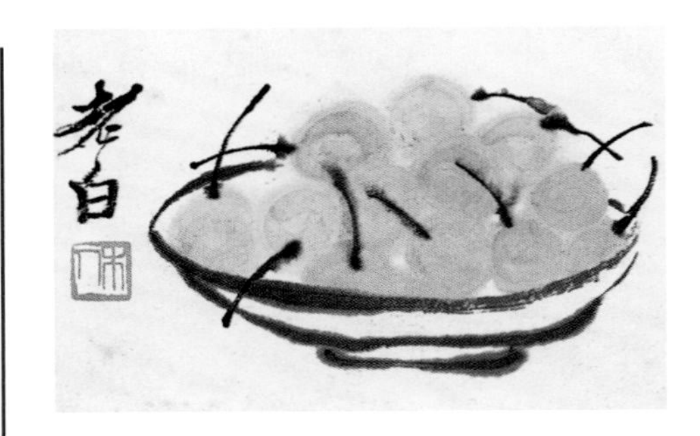

款題：

老白

印章：

木人（朱文）

收藏：

天津人民美術出版社

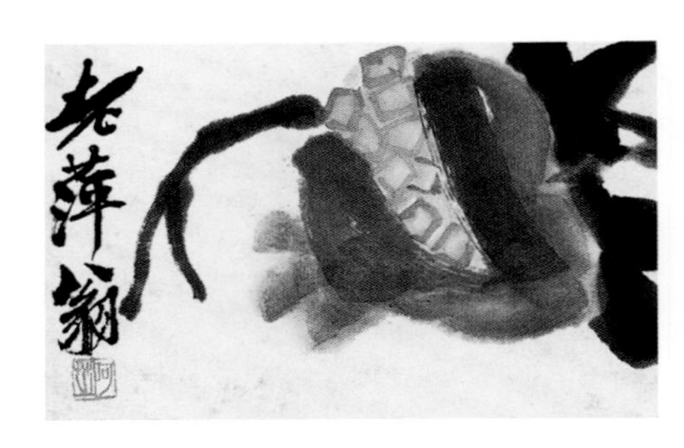

230. 石榴（水果册之二）

册頁

紙本水墨設色

10.2×15.9cm

約 40 年代初期

款題：

老萍翁

印章：

阿芝（朱文）

收藏：

天津人民美術出版社

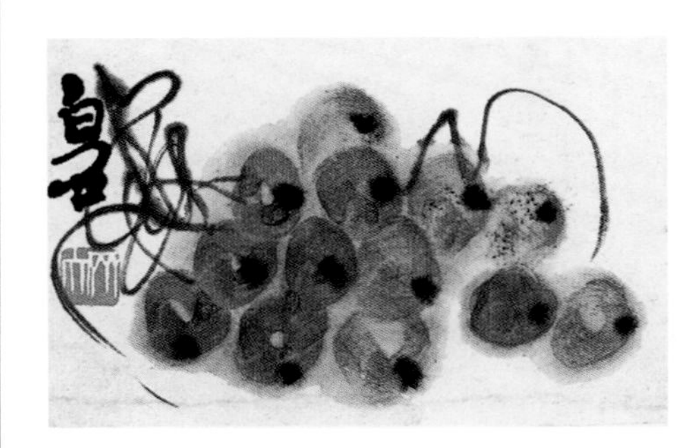

231. 葡萄（水果册之三）

册頁

紙本水墨設色

10.2×15.9cm

約 40 年代初期

款題：

白石

印章：

齊大（白文）

收藏：

天津人民美術出版社

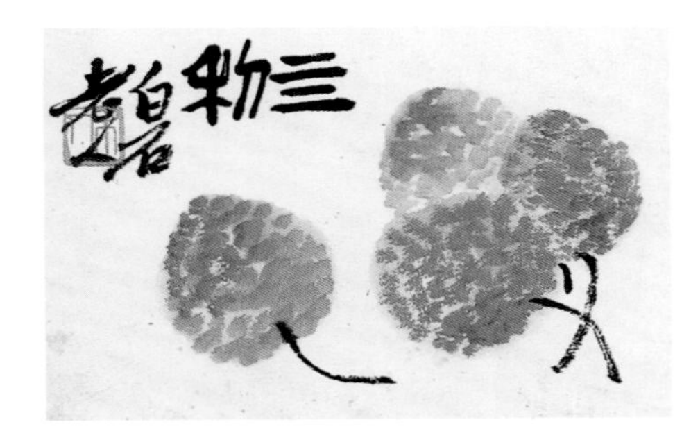

232. 荔枝（水果册之四）

册頁

紙本水墨設色

10.2×15.9cm

約 40 年代初期

款題：

四利。白石老人。

印章：

木人（朱文）

收藏：

天津人民美術出版社

233. 紅果（水果册之五）

册頁

紙本水墨設色

10.2×15.9cm

約 40 年代初期

款題：

白石

印章：

齊大（白文）

收藏：

天津人民美術出版社

234. 桃子（水果册之六）

册頁

紙本水墨設色

10.2×15.9cm

約 40 年代初期

款題：

大壽。白石。

印章：

齊大（白文）

收藏：

天津人民美術出版社

235. 柿子（水果册之七）

册頁

紙本水墨設色

10.2×15.9cm

約 40 年代初期

款題：

杏子隖老民

印章：

齊大（白文）

收藏：

天津人民美術出版社

236. 枇杷（水果册之八）

册頁

紙本水墨設色

10.2×15.9cm

約 40 年代初期

款題：

星塘後人

印章：

阿芝（朱文）

收藏：

天津人民美術出版社

237. 壺碗蒼蠅

鏡片

紙本水墨

23×23cm

約 40 年代初期

款題：

杏子隖老民

印章：

白石翁(白文)

收藏：

齊良遲

238. 白菜蟋蟀

立軸

紙本水墨

73.5×29cm

約 40 年代初期

款題：

一日。婢輩買菜回。以繩繫之。殊有意趣。白石。

印章：

齊大(白文)

收藏印：西安美術學院藏(朱文)

收藏：

西安美術學院

239. 柿葉飄紅

立軸

紙本水墨設色

134×34.5cm

約 40 年代初期

款題：

柿葉飄紅手自書。借陳汝秩句。白石山人齊璜。

印章：

白石(朱文)

收藏：

上海朵雲軒

240. 桃實圖

立軸

紙本水墨設色

約 40 年代初期

款題：

花實各三千年(篆)。德美鄉先生

清鉴。借山吟館主者。

印章：

白石翁(白文)

齊大(朱文)

人長壽(朱文)

收藏：

私人

241. 事事安順

鏡片

紙本水墨設色

33×33.5cm

約 40 年代初期

款題：

事事安順(篆)。白石老人。

印章：

齊大(朱文)

豈辜負西山杜宇(白文)

收藏：

陝西美術家協會

242. 荔枝

立軸

紙本水墨設色

66.7×33.8cm

約 40 年代初期

款題：

寄萍堂上老人白石。

印章：

齊大(朱文)

接木移花手段(白文)

收藏：

魯迅美術學院

243. 花草神仙圖

立軸

紙本水墨設色

100×34cm

約 40 年代初期

款題：

清平時日。草蟲都是神僊(仙)。白石老人。日暖風和把筆。

印章：

齊大(朱文)

收藏：

上海朵雲軒

244. 柳岸魚鷹

立軸

紙本水墨設色

101×30cm

約 40 年代初期

款題：

鱸魚一飽猶知足。白石山翁并句。

印章：

老苹(白文)

收藏：

私人

著録：

《齊白石繪畫精品集》第 69 圖，人民美術出版社，1991 年，北京。

245. 櫻桃

立軸

紙本水墨設色

66.6×33.6cm

約 40 年代初期

款題：

借山唫(吟)館主者白石。

印章：

齊大(朱文)

馬上斜陽城下花(白文)

收藏：

魯迅美術學院

246. 松樹八哥

立軸

紙本水墨

154×42cm

約 40 年代初期

款題：

星斗塘外有松。多巢八哥。故予畫

八哥能似。白石。

印章：

木人(朱文)

齊白石(白文)

收藏：

遼寧省博物館

著録：

《齊白石畫集》第 34 圖，遼寧省博物館編，遼寧美術出版社，1961 年，瀋陽。

247. 鵪鶉稻穗

立軸

紙本水墨設色

87.5×26.5cm

約 40 年代初期

款題：

寄萍老人白石

印章：

齊大(朱文)

收藏印：篤周所藏(朱文)

收藏：

江蘇省美術館

248. 歲朝圖

立軸

紙本水墨設色

110.2×50.5cm

約 40 年代初期

款題：

歲朝圖(篆)。多壽多男。白石老人造於燕京寄萍堂上南窗。

印章：

齊大(朱文)

收藏：

私人

著録：

《齊白石繪畫精品集》第 71 圖，人民美術出版社，1991 年，北京。

249. 紅果鷄冠花

立軸

紙本水墨設色

67×32cm

約 40 年代初期

款題：

借山吟館主者齊白石。午枕後不倦之作。

印章：

齊大(朱文)

收藏：

私人

著録：

《齊白石繪畫精品集》第 95 圖，人民美術出版社，1991 年，北京。

250. 海棠雁來紅

立軸

紙本水墨設色

103×34cm

約 40 年代初期

款題：

蝴蝶也知秋色好。不時飛去又飛來。寄萍堂上老人白石并題。

印章：

齊大(朱文)

寄萍堂(白文)

收藏：

天津楊柳青書畫社

251. 墨牡丹

立軸

紙本水墨

98×34cm

約 40 年代初期

款題：

三百石印富翁白石老人一揮。

印章：

齊大(朱文)

收藏：

霍宗傑

著録：

《齊白石畫海外藏珍》第 64 圖，王大山主编，榮寶齋（香港）有限公司，1994 年，香港。

252. 松鷹圖

立軸

紙本水墨

178×48cm

約 40 年代初期

款題：

白石

印章：

齊大(朱文)

收藏：

私人

著録：

《齊白石畫海外藏珍》第 83 圖，王大山主編，榮寶齋（香港）有限公司，1994 年，香港。

253. 松鷹圖

立軸

紙本水墨

101×34cm

約 40 年代初期

款題：

杏子塢老民齊白石作。

印章：

齊大(白文)

流俗之所輕也(白文)

收藏：

天津楊柳青書畫社

254. 蘋果(水果魚蟹屏之一)

鏡片

紙本水墨設色

41.5×26.5cm

約 40 年代初期

款題：

寄萍老人白石作。

印章：

齊大(朱文)

收藏：

中央美術學院附屬中學

255. 櫻桃(水果魚蟹屏之二)

鏡片

紙本水墨設色

41.5×26.5cm
約 40 年代初期
款題:
白石老人寫。
印章:
木人(朱文)
收藏:
中央美術學院附屬中學

256. 金魚(水果魚蟹屏之三)
鏡片
紙本水墨設色
41.5×26.5cm
約 40 年代初期
款題:
杏子塢老民白石。
印章:
木人(朱文)
收藏:
中央美術學院附屬中學
著録:
《齊白石繪畫精品選》第 143 圖,董玉龍主编,人民美術出版社,1991 年,北京。

257. 酒蟹(水果魚蟹屏之四)
鏡片
紙本水墨設色
41.5×26.5cm
約 40 年代初期

款題:
有蟹有酒。君若不飲何其愚。白石。
印章:
齊大(白文)
收藏:
中央美術學院附屬中學
著録:
《齊白石繪畫精品選》第 142 圖,董玉龍主编,人民美術出版社,1991 年,北京。

258. 棕樹麻雀
立軸
紙本水墨設色
100×34cm
約 40 年代初期
款題:
寄萍老人齊白石寫意。
印章:
齊大(朱文)
收藏:
天津楊柳青書畫社

259. 紅蓼草蟲
立軸
紙本水墨設色
68×34cm
約 40 年代初期
款題:
子才弟正。
白石齊璜。
印章:
木人(朱文)
收藏:
首都博物館

260. 菊花
立軸

紙本水墨
137×34cm
約 40 年代初期
款題:
饑來喜採(采)落英餐。
二十年前意未闌。
不獨菊花老辜負。
籬南還有舊青山。
三百石印富翁并題舊句。
印章:
白石(白文)
故鄉無此好天恩(朱文)
收藏:
陝西美術家協會

261. 瓶梅圖
立軸
紙本水墨設色
66.2×31.5cm
約 40 年代初期
款題:
白石山翁畫。
印章:
齊大(朱文)
收藏:
天津人民美術出版社

262. 螃蟹
扇面
紙本水墨
18×50cm
約 40 年代初期
款題:
肥蟹肥蟹。
風味宜酒。
山客編蒲。
何以不走。
光沂仁弟。璜并題。
印章:
木人(朱文)
收藏:
中央美術學院附屬中學

263. 葡萄草蟲
扇面

紙本水墨
19.5×55cm
約 40 年代初期
款題：
石家金谷何在。
僅傳魏氏流涎。白石。
印章：
白石翁(朱文)
收藏：
中央美術學院附屬中學

264. 荔枝蜜蜂
扇面
紙本水墨設色
18×51.5cm
約 40 年代初期
款題：
寄萍老人設色。
印章：
齊大(白文)
收藏：
天津人民美術出版社

265. 蝴蝶蘭
扇面
紙本水墨設色
18×50cm
約 40 年代初期
款題：
白石老人作。
印章：
木人(朱文)
收藏：
天津人民美術出版社

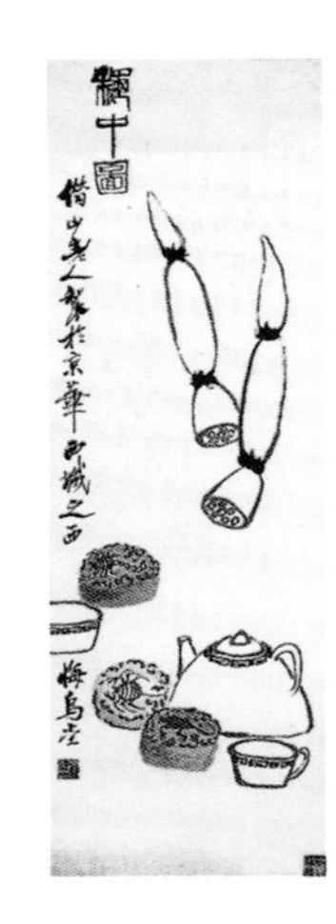

266. 秋中圖
立軸
紙本水墨設色
101.6×33.2cm
約 40 年代初期
款題：
秋中圖(篆)。
借山老人製於京華西城之西。悔烏堂。
印章：
齊白石（白文）
古潭州人(白文)
收藏：
王方宇
著録：
《看齊白石畫》第 40 圖，王方宇、許芥昱合著，藝術圖書公司，1979 年，臺北。

267. 玉蘭雛鷄
立軸
紙本水墨設色
約 40 年代初期
款題：
光照仁弟屬畫。白石。
印章：
齊大(朱文)
收藏：
私人
著録：
《齊白石繪畫精品集》第 90 圖，人民美術出版社，1991 年，北京。

268. 雄鷄螳螂
立軸
紙本水墨設色
102.6×33.6cm
約 40 年代初期
款題：
予聞螳螂捕蟬。揚雀捕螳螂。那(哪)知人世更有雄鷄也。白石。
印章：
白石翁（朱文）
人長壽(朱文)
收藏：
北京市文物公司
著録：
《齊白石繪畫精萃》第 183 圖，秦公、少楷主编，吉林美術出版社，1994 年，長春。

269. 白菜蘑菇
立軸
紙本水墨
106×36.5cm
約 40 年代初期
款題：
寄萍老人齊白石。畫兒時所為。
印章：
齊大(朱文)
借山翁(朱文)
尋常百姓人家(朱文)
收藏：
北京市文物公司
著録：
《齊白石繪畫精萃》第 195 圖，秦公、少楷主编，吉林美術出版社，1994 年，長春。

270. 池塘青草蛙聲
立軸
紙本水墨
68×34.5cm
約 40 年代初期
款題：
池塘青草蛙聲(篆)。
寄萍堂上老人作。并篆六字。
印章：
齊大(朱文)
收藏：
北京市文物公司
著録：
《齊白石繪畫精萃》第 114 圖，秦公、少楷主编，吉林美術出版社，1994年，長春。

271. 荷花白鷺圖
立軸
紙本水墨設色
100.5×34cm
約 40 年代初期
款題：
寄萍老人齊白石潑墨。
印章：
齊大(朱文)
收藏：
北京市文物公司
著録：
《齊白石繪畫精萃》第 108 圖，秦

公、少楷主編，吉林美術出版社，1994年，長春。

272. 白菜

立軸

紙本水墨設色

112.6×54cm

約40年代初期

款題：

諸侯賓客四十載。菜肚羊蹄嗜各殊。

不是彊（强）誇根有味。須知此老是農夫。

借山唫(吟)館主者齊璜畫并題句。

印章：

白石翁(白文)

老夫也在皮毛類(白文)

收藏：

私人

273. 漁家樂

立軸

紙本水墨

100×33cm

約40年代初期

款題：

漁家樂(篆)。

三百石印富翁白石。畫于京華。

印章：

白石翁(朱文)

故鄉無此好天恩(朱文)

收藏：

遼寧省博物館

著録：

《齊白石畫集》第41圖，遼寧省博物館編，遼寧美術出版社，1961年，瀋陽。

274. 到頭清白圖

立軸

紙本水墨設色

67.5×33.8cm

約40年代初期

款題：

到頭清白(篆)。清白二字。不与時違。白石。

印章：

齊大(朱文)

收藏：

中國美術館

著録：

《齊白石繪畫精品選》第52圖，董玉龍主編，人民美術出版社，1991年，北京。

275. 筆硯茶具圖

立軸

紙本水墨設色

92×25.5cm

約40年代初期

款題：

杏子塢老民齊白石畫硯茶具。

印章：

齊大(朱文)

收藏：

中國美術館

著録：

《齊白石繪畫精品選》第56圖，董玉龍主編，人民美術出版社，1991年，北京。

276. 藤蘿

立軸

紙本水墨設色

137×34cm

約40年代初期

款題：

春晴紫雪從天下。白石老人并題七字。

印章：

齊大(朱文)

收藏：

私人

著録：

《齊白石畫集》第114圖，嚴欣强、金岩編，外文出版社，1991年，北京。

277. 粟穗螳螂

立軸

紙本水墨設色

117×40.5cm

約40年代初期

款題：

借山吟館主者齊白石。居百梅祠屋時。墻角種粟當作花看。

印章：

白石翁(朱文)

收藏：

北京畫院

278. 玉蘭花

立軸

紙本水墨設色

167.9×42.9cm

約40年代初期

款題：

清香(篆)。杏子隖老民齊白石畫于京華。

印章：

齊白石(白文)

收藏：

中國美術館

279. 荷花翠鳥

扇面

紙本水墨設色

24×53cm

約40年代初期

款題：

白石

印章：

白石老人(白文)

收藏：

北京榮寶齋

280. 杏花

立軸

紙本水墨設色

100×33cm

約40年代初期

款題：

惟有杏花偏得意。三年重見狀元來。昔人句也。白石。

印章：

木人(朱文)

收藏：

北京榮寶齋

281. 荷塘清趣

立軸

紙本水墨設色

146×66cm

約40年代初期

款題：

予畫此幅。佈置太密。客欲多題字。無下筆地位矣。白石。

印章:

木人(朱文)

收藏:

私人

著録:

《齊白石畫集》第59圖,嚴欣强、金岩編,外文出版社,1991年,北京。

282. 茶花

立軸

紙本水墨設色

101×34cm

約40年代初期

款題:

松竹梅皆君友。能耐寒。品色俱高。借山館後白石。親種半山。

印章:

齊大(朱文)

收藏印:霍宗傑藏(朱文)

收藏:

霍宗傑

著録:

《齊白石畫海外藏珍》第183圖,王大山主編,榮寶齋(香港)有限公司,1994年,香港。

283. 枯樹歸鴉

鏡片

紙本水墨設色

32×34.6cm

約40年代初期

款題:

三百石印富翁于故都。

印章:

齊大(白文)　齊璜(白文)

收藏:

炎黄藝術館藝術中心

284. 岱廟圖

立軸

紙本水墨設色

113×48.5cm

約40年代初期

款題:

岱廟圖(篆)。白石老人齊璜畫。

印章:

借山翁(朱文)

悔烏堂(朱文)

倦也欲眠君且去(白文)

收藏:

北京市文物公司

著録:

《齊白石繪畫精萃》第118圖,秦公、少楷主編,吉林美術出版社,1994年,長春。

285. 冰庵刻印圖

立軸

紙本水墨設色

101×51.5cm

約40年代初期

款題:

冰庵刻印圖(篆)。冰厂(庵)弟請。予卅年以來不作之作。白石。

印章:

齊大(朱文)

牽牛飲水圖(白文圖形印)

流俗之所輕也(白文)

收藏:

北京市文物公司

著録:

《齊白石繪畫精萃》第80圖,秦公、少楷主編,吉林美術出版社,1994年,長春。

286. 劉海戲蟾

立軸

紙本水墨設色

124×42.5cm

約40年代初期

款題:

白石老人齊璜。

他人題記:

白石仙翁筆妙。笑口常開粲貝齒。鬅鬙短髮任風吹。浮雲散盡青天濶(闊)。正是神光出見(現)時。甲申中秋東涯老人伯英。

他人印:東涯(朱文)　凡圃(朱文)　彭城張老(白文)

印章:

齊大(朱文)

收藏:

私人

287. 劉海戲蟾

立軸

紙本水墨設色

119×33cm

約40年代初期

款題:

仙人劉海蟾為吕純陽弟子。予嘗見前清諸畫家畫一鬅髮。手携一蟾。不似進士也。白石。

印章:

齊大(朱文)

收藏:

霍宗傑

著録:

《齊白石畫海外藏珍》第95圖,王大山主編,榮寶齋(香港)有限公司,1994年,香港。

288. 劉海戲蟾

立軸

紙本水墨設色

90×34.5cm

約40年代初期

款題:

白石老人齊璜信手。

印章:

齊大(朱文)

收藏:

中國美術館

著録:

《齊白石繪畫精品選》第209圖,董玉龍主編,人民美術出版社,1991年,北京。

289. 鐵拐李

立軸

紙本水墨設色

85.3×47.7cm

1944年

款題:

甲申中秋前三日。八十四歲白石齊璜。

印章:

白石翁(朱文)　借山翁(朱文)

牽牛飲水圖(白文圖形印)
人長壽(朱文)

收藏:

中國美術館

著録:

《齊白石作品集》第 65 圖, 董玉龍主编, 天津人民美術出版社, 1990 年, 天津。

《齊白石繪畫精品選》第 212 圖, 董玉龍主编, 人民美術出版社, 1991 年, 北京。

290. 秋瓜

立軸
紙本水墨設色
132×32cm
1944 年

款題:

白石老人。八十四歲尚客京華。

印章:

白石翁(朱文)

收藏:

中國美術館

著録:

《齊白石作品集》第 64 圖, 董玉龍主编, 天津人民美術出版社, 1990 年, 天津。

291. 荔枝

立軸
紙本水墨設色
101.2×43cm
1944 年

款題:

甲申夏六月。白石老人齊璜作。

印章:

借山翁(朱文)

收藏:

中國美術館

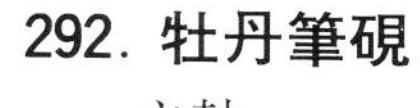

292. 牡丹筆硯

立軸
紙本水墨設色
132.4×37.1cm
1944 年

款題:

寄萍堂上老人齊白石。居京華第廿又八年。

印章:

借山翁(朱文)

收藏:

中國美術館

著録:

《齊白石繪畫精品選》第 79 圖, 董玉龍主编, 人民美術出版社, 1991 年, 北京。

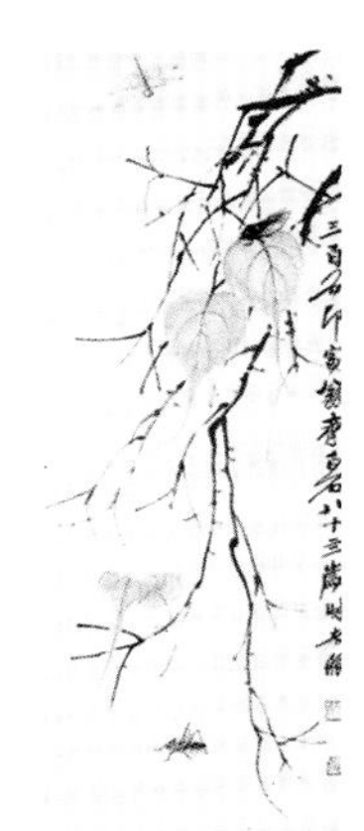

293. 貝葉草蟲

立軸
紙本水墨設色
101.3×34.2cm
1944 年

款題:

三百石印富翁齊白石。八十四歲時老眼。

印章:

齊大(朱文)
白石翁(朱文)
痴思長繩繫日(白文)

收藏:

中國美術館

著録:

《齊白石繪畫精品選》第 75 圖, 董玉龍主编, 人民美術出版社, 1991 年, 北京。

294. 飛蛾(昆蟲册之一)

册頁
紙本工筆設色
28.1×20.8cm
1944 年

款題:

寄萍老人

印章:

白石翁(朱文)

收藏:

中國美術館

著録:

《齊白石作品集》第 75 圖, 董玉龍主编, 天津人民美術出版社, 1990 年, 天津。

295. 蜘蛛蚊子(昆蟲册之二)

册頁
紙本工筆設色
28.1×20.8cm
1944 年

款題:

八硯樓頭久別人。白石。

印章:

白石老人(白文)

收藏:

中國美術館

著録:

《齊白石作品集》第 76 圖, 董玉龍主编, 天津人民美術出版社, 1990 年, 天津。

296. 蟬(昆蟲册之三)

册頁
紙本工筆設色
28.1×20.8cm

1944 年

款題：

借山老人

印章：

白石山翁(朱文)

收藏：

中國美術館

著録：

《齊白石作品集》第 77 圖，董玉龍主编，天津人民美術出版社，1990 年，天津。

297. 蟈蟈(昆蟲册之四)

册頁

紙本工筆設色

28.1×20.8cm

1944 年

款題：

杏子隝老民

印章：

白石翁(朱文)

收藏：

中國美術館

著録：

《齊白石作品集》第 79 圖，董玉龍主编，天津人民美術出版社，1990 年，天津。

298. 蟬蜕(昆蟲册之五)

册頁

紙本工筆設色

28.1×20.8cm

1944 年

款題：

白石

印章：

白石(朱文)

收藏：

中國美術館

著録：

《齊白石作品集》第 78 圖，董玉龍主编，天津人民美術出版社，1990 年，天津。

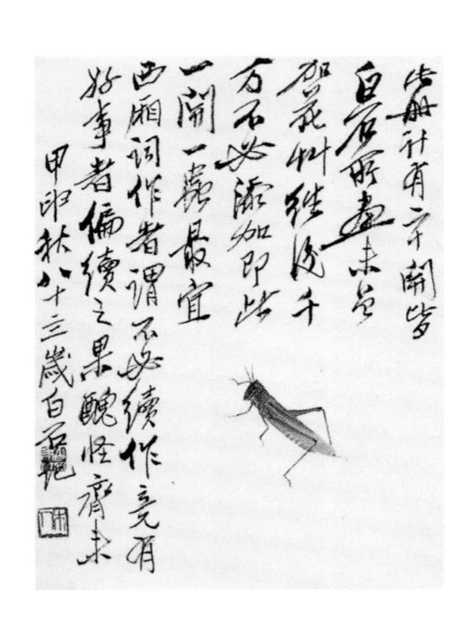

299. 螞蚱(昆蟲册之六)

册頁

紙本工筆設色

28.1×20.8cm

1944 年

款題：

此册計有二十開。皆白石所畫。未曾加花草。往後千萬不必添加。即此一開一蟲最宜。西厢詞作者謂不必續作。竟有好事者偏續之。果醜怪齊來。甲申秋。八十四歲白石記。

印章：

白石老人(白文)　木人(朱文)

收藏：

中國美術館

著録：

《齊白石作品集》第 80 圖，董玉龍主编，天津人民美術出版社，1990 年，天津。

300. 老少年

扇面

紙本水墨設色

24.5×50cm

1944 年

款題：

子立仁弟清正。

甲申冬。白石老人璜。

印章：

木人(朱文)

收藏：

中央工藝美術學院

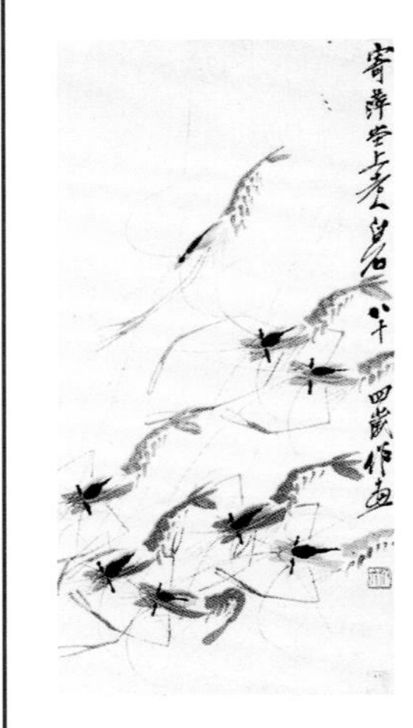

301. 蝦

立軸

紙本水墨

68.7×23.7cm

1944 年

款題：

寄萍堂上老人白石八十四歲作畫。

印章：

齊大(朱文)

收藏印：西安美術學院藏(朱文)

收藏：

西安美術學院

302. 二月春風花不如

立軸

紙本水墨設色

101×33cm

1944 年

款題：

二月春風花不如(篆)。白石老人八十四歲時作。

印章：

白石(朱文)

大匠之門(白文)

收藏：

北京市文物公司

著録：

《齊白石繪畫精萃》第 131 圖，秦公、少楷主编，吉林美術出版社，1994 年，長春。

303. 母鷄孵雛

立軸

紙本水墨設色

108×35cm

1944 年

款題：

有友人以鷄卵遺我。畫此報之。

三百石印富翁齊白石居燕京廿八年。

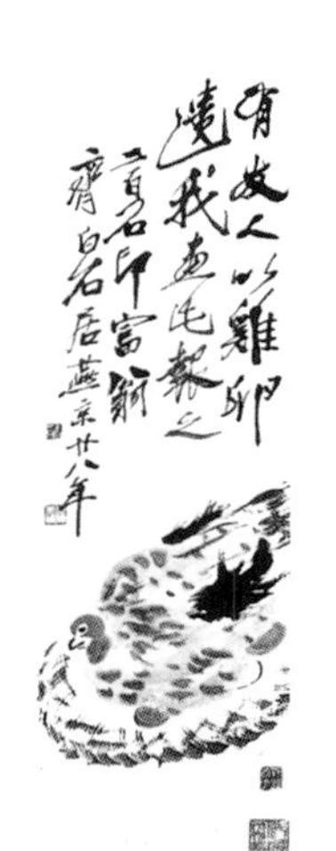

印章:

白石(白文)
借山翁(朱文)
齊璜老手(白文)
故鄉無此好天恩(朱文)

收藏:

北京市文物公司

著録:

《齊白石繪畫精萃》第179圖,秦公、少楷主編,吉林美術出版社,1994年,長春。

304. 松鶴圖

立軸
紙本水墨設色
136.5×34.5cm
1944年

款題:

白石老人。
子立仁弟之屬。甲申春二月。八十四歲時畫千歲之鶴。居京華第廿又八年。

印章:

白石(朱文) 湘潭人也(白文)
收藏印:蒙軒(朱文)

收藏:

北京市文物公司

著録:

《齊白石繪畫精萃》第127圖,秦公、少楷主編,吉林美術出版社,1994年,長春。

305. 君壽千歲

立軸
紙本水墨設色
142×39cm
1944年

款題:

君壽千歲(篆)。白石老人八十四歲時寫生作。

印章:

木人(朱文)
白石草衣(白文)
人長壽(朱文)
牽牛飲水圖(白文圖形印)

收藏:

北京榮寶齋

306. 菊花草蟲

立軸

紙本水墨設色
69.8×35.5cm
1944年

款題:

延年(篆)。
白石老人八十四歲時畫。

印章:

齊大(朱文)

收藏:

四川省博物館

307. 葡萄松鼠

立軸
紙本水墨設色
101×34cm
1944年

款題:

善長先生雅屬。
白石老人齊璜。居京華第廿又八年時。

印章:

白石翁(朱文)

收藏:

天津楊柳青書畫社

308. 清平富貴

(花卉四條屏之一)
立軸
紙本水墨設色
99×33.5cm
1944年

款題:

清平富貴(篆)。白石老人齊璜并篆字。

印章:

齊大(朱文)

收藏:

天津楊柳青書畫社

309. 秋色秋香

(花卉四條屏之二)
立軸
紙本水墨設色
99×33.5cm
1944年

款題:

秋色秋香(篆)。白石老人作并篆四字。

印章:

齊大(朱文)
借山翁(朱文)

收藏:

天津楊柳青書畫社

310. 桂花月餅

(花卉四條屏之三)
立軸
紙本水墨設色
99×33.5cm
1944年

款題:

白石老人畫意。

印章:

齊大(朱文)

收藏:

天津楊柳青書畫社

311. 盆菊清香

(花卉四條屏之四)
立軸
紙本水墨設色
99×33.5cm
1944年

款題:

三百石印富翁齊白石。客京華第廿又八年。隨意作。

印章:

齊大(朱文)

收藏:

天津楊柳青書畫社

312. 鶿雁齊梅圖

(條屏之一)
立軸
紙本水墨設色
99.5×33.6cm
1944年

款題:

鶿雁齊梅(篆)。白石老人八十四歲作于京華。

印章:

齊大(朱文)
齊璜老手(白文)

收藏:

天津人民美術出版社

313. 多壽多子圖(條屏之二)

立軸
紙本水墨設色
99.5×33.6cm
1944年

款題:

多壽多子(篆)。白石老人。

印章：

齊大(朱文)

馬上斜陽城下花(白文)

收藏：

天津人民美術出版社

314. 牡丹花瓶

立軸

紙本水墨設色

103×34.5cm

1944 年

款題：

揆中先生吉遷之慶。八十四歲白石齊璜。

移富貴於平安(篆)。瓶字有形。平字無形。借瓶之聲。白石再題。

印章：

白石翁(朱文)　齊大(朱文)

收藏：

湘潭齊白石紀念館

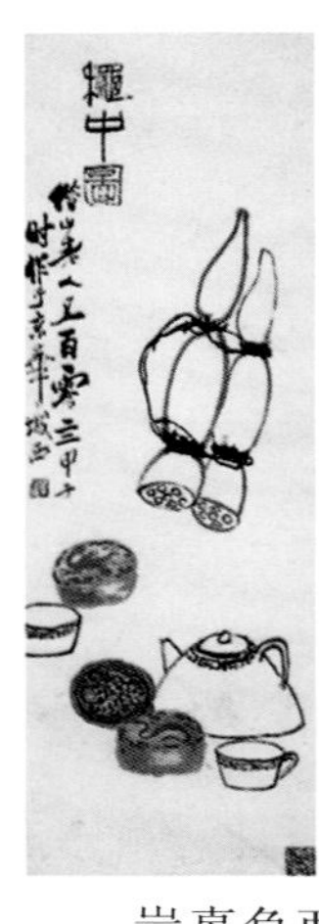

315. 秋中圖

立軸

紙本水墨設色

102.5×35cm

1944 年

款題：

秋中圖(篆)。

借山老人五百零四甲子時作于京華城西。

印章：

白石翁(朱文)

豈辜負西山杜宇(白文)

收藏：

中國展覽交流中心

316. 爆竹

鏡片

紙本水墨設色

19×18cm

1944 年

款題：

八十四歲老人應七齡小兒之所求。甲申。

印章：

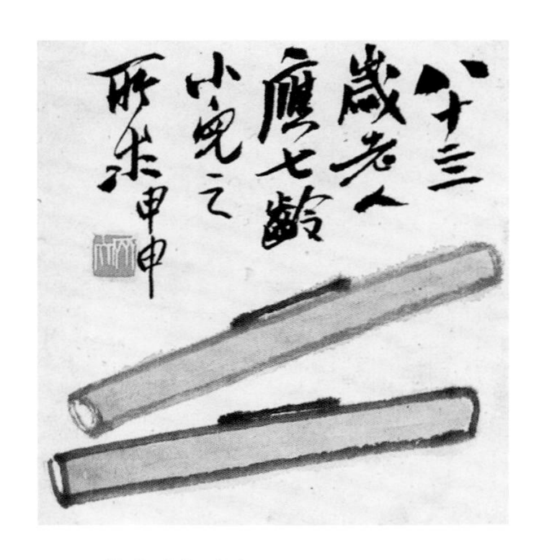

齊大(白文)

收藏：

齊良遲

317. 雛鷄圖

立軸

紙本水墨

104.5×33cm

1944 年

款題：

明年鷄年。鷄食糧。予謂只要天年豐無防(妨)。白石。

印章：

齊大(朱文)

收藏印：篤周所藏(朱文)

收藏：

江蘇省美術館

318. 葫蘆蜻蜓(花卉草蟲册之一)

團扇

紙本水墨設色

直徑 33cm

1944 年

款題：

白石老人

印章：

白石老人(白文)

收藏：

私人

著録：

《齊白石畫海外藏珍》第 89 圖，王大山主編，榮寶齋（香港）有限公司，1994 年，香港。

319. 鳳仙蟈蟈(花卉草蟲册之二)

團扇

紙本水墨設色

直徑 33cm

1944 年

款題：

白石

印章：

白石山翁(朱文)　白石老人(白文)

收藏：

私人

著録：

《齊白石畫海外藏珍》第 90 圖，王大山主編。榮寶齋（香港）有限公司，1994 年，香港。

320. 海棠螳螂(花卉草蟲册之三)

團扇

紙本水墨設色

直徑 33cm

1944 年

款題：

借山主者

印章：

木人(朱文)

收藏：

私人

著録：

《齊白石畫海外藏珍》第 91 圖，王大山主編，榮寶齋（香港）有限公司，1994 年，香港。

321. 穀穗蚱蜢（花卉草蟲册之四）

團扇

紙本水墨設色

直徑 33cm

1944 年

款題：

白石

印章：

木人（朱文）

收藏：

私人

著録：

《齊白石畫海外藏珍》第 92 圖，王大山主編。榮寶齋（香港）有限公司，1994 年，香港。

322. 老鼠油燈

立軸

紙本水墨設色

86×36cm

1944 年

款題：

少巖（岩）先生清屬。八十四歲白石。

印章：

借山翁（朱文）

收藏印：新會霍氏宗傑鑒藏（朱文）

收藏：

霍宗傑

著録：

《齊白石畫海外藏珍》第 177 圖，王大山主編，榮寶齋（香港）有限公司，1994 年，香港。

本卷承蒙下列單位與個人的熱情支持與大力協助。特此致謝!

中國美術館
天津人民美術出版社
北京市文物公司
北京榮寶齋
首都博物館
天津楊柳青書畫社
遼寧省博物館
中央美術學院附屬中學
江蘇省美術館
陜西美術家協會
北京畫院
北京故宮博物院
炎黃藝術館藝術中心
中央工藝美術學院
湘潭齊白石紀念館
西安美術學院
上海朵雲軒
中央美術學院
上海美術家協會
魯迅美術學院
北京中南海
湖南省博物館
四川省博物館
天津藝術博物館
浙江省博物館
中國藝術研究院美術研究所
中國展覽交流中心
香港蘇富比拍賣行
霍宗傑先生
曹克家先生
齊良遲先生
梁　穗先生
王雪濤先生
楊永德先生
于非闇先生
朱為清先生
吴作人先生
葉伯生先生
盧光照先生
王方宇先生

(按所收作品數量順序排列)

總 策 劃： 郭天民　蕭沛蒼
總 編 輯： 郭天民
總 監 製： 蕭沛蒼

齊白石全集編輯委員會
主　　編： 郎紹君　郭天民
編　　委： 李松濤　王振德　羅隨祖　舒俊傑
郎紹君　郭天民　蕭沛蒼　李小山
徐　改　敖普安

本卷主編： 郎紹君
責任編輯： 劉　昕
圖版攝影： 孫智和　黎　丹
著　　錄： 徐　改　敖普安　李小山
黎　丹　章小林　姚陽光
注　　釋： 郎紹君　徐　改
英文翻譯： 張少雄
責任校對： 李奇志
總體設計： 戈　巴

齊白石全集　第五卷

出版發行：湖南美術出版社
(長沙市人民中路103號)
經　　銷：全國各地新華書店
印　　製：深圳華新彩印製版有限公司
一九九六年十月第一版　第一次印刷

ISBN7—5356—0891—4/J·816